**Openbare Bibliotheek
Diemen**

Wilhelminaplantsoen 126
1111 CP Diemen
Telefoon : 020 - 6902353

D1458742

Samen gelukkig
zonder kinderen

openbare bibliotheek amsterdam

Samen gelukkig
zonder kinderen

De uitdagingen en
kansen voor jou en je relatie

Carolien Krijnen
Frank Wouters

Reality Bites Publishing

COLOFON

Eerste druk, mei 2010
Copyright © Carolien Krijnen,
Frank Wouters

Alle rechten voorbehouden. Niets uit deze
uitgave mag worden verveelvoudigd,
opgeslagen in een geautomatiseerd gegevens-
bestand, of openbaar gemaakt, in enige
vorm of op enige wijze, hetzij elektronisch,
mechanisch, door fotokopieën, opnamen,
of op enige andere manier, zonder voorafgaan-
de schriftelijke toestemming van de uitgever.

Eindredactie: Frank Wouters
Omslagontwerp: Reality Bites Publishing
Drukwerk: Yung Grafische Produkties
Binnenwerk: dyMan Grafische Vormgeving
ISBN: 978-90-8510-687-6
Reality Bites Publishing
www.realitybites.nu

Inhoud

Inleiding   8
Ga jij leven zonder kinderen?   12
Is een leven zonder kinderen logisch?   17
INTERVIEW 1: Jeroen   24
Maatschappij en kinderloosheid   30
   De Mensheid   30
   Verantwoordelijkheid   33
   De Tijdbom   35
   Het hebben van kinderen wordt zwaar
   overschat.   37
Is het krijgen van kinderen een menselijk instinct?   44
INTERVIEW 2: Nathalie   48
Overbevolking   53
   Armoede, ontwikkeling en milieu   53
   Oorlogen en conflicten   58
Voor- en nadelen van kinderen   62
   Voordelen van kinderen: 64
   Nadelen van kinderen: 65
Een waardevol leven zonder kinderen   66
De praktijk van een relatie zonder kinderen   70
Zijn mensen zonder kinderen eenzaam en zielig?   79
INTERVIEW 3: Peter   92

Hoe ga je om met twijfels omtrent een kinderwens? **98**

Geef elkaar de ruimte **102**

Op wie werd je verliefd? **106**

De jaarlijkse opfrisbeurt voor je relatie **109**

Vertrouwen **111**

Het Grote Vertrouwen **116**

Passie **120**

Jaloezie **122**

Opbiechten **123**

INTERVIEW 4: Adrian **128**

De kracht van de waardering **134**

Verzorg jezelf **138**

Je beste vriend(in), jezelf **140**

Gelukkig zijn **148**

INTERVIEW 5: Anja **162**

Verwachtingen **166**

Waarom wil jij geen kinderen? **172**

Conflicten **184**

Hoe ontstaan conflicten? **187**

Stijlen van conflicthantering **188**

Assertiviteit **189**

Zorg om de relatie **190**

Conflictoplossingsstijlen **190**

1. Ontlopen **191**

2. Confronteren **192**

3. Dwingen **194**

4. Toedekken **195**

5. Compromis sluiten **196**
En nu? **197**
De relatie om de relatie? **198**
Ruzie **201**
Niet meer luisteren **202**
De ander willen betrappen op verkeerde
uitspraken **203**
Absolute oordelen **204**
Uitbreiding van onderwerpen **205**
Aanval en tegenaanval **206**
Persoonlijk worden **207**
Medestanders zoeken **208**
Uitbreiding naar andere personen **209**
Tot slot **210**
Conflictremmers **211**
Is het trendy om zonder kinderen te leven? **215**
INTERVIEW 6: Barbara **225**
Het geheim van een goede relatie **230**
Toevoeging of last **239**
Als je relaties op elkaar gaan lijken **244**
Werken aan je relatie is werken aan jezelf **249**
Motivatie **250**
Wie vult je leven in? **253**
Opschrijven **254**
Tot slot: een oefening **258**
Slotbeschouwing **295**

Inleiding

*I*n onze verzuurde maatschappij is voor heel wat mensen tegenwoordig een probleem snel gevonden. Voor sommigen onder ons is het elke dag een beetje oorlog op de weg, op het werk of in de supermarkt, terwijl ze staan aan te schuiven in de rij die altijd trager is dan de andere rij. We maken het ons niet gemakkelijk.

Zelf ben ik een optimist, ik probeer van het leven te genieten, ik vind het geluk in de kleine dingen, een babbel bij de bakker met een toffe dame die ik nooit eerder ontmoette, een glas wijn met m'n man op een ongepland moment, gewoon 's middags, zomaar.

Mijn geluk heeft iets te maken met het feit dat ik

nooit in de file sta, met het feit dat ik nooit op zater-
dag of 's avonds naar de supermarkt ga. Om gelukkig
te zijn moet je soms gewoon wat geluk hebben. Na
tien jaar als bediende oefen ik toch al enige tijd een
zelfstandig beroep uit, ik ben stadsgids, een fantasti-
sche manier om mensen te leren kennen en te vertel-
len over mijn stad.

Heb ik geen kinderen omdat ik een levensgenieter
ben? Als ik er over nadenk: ja, eigenlijk wel. Ik voel de
drang niet om kinderen van mezelf te hebben, ik ben
gelukkig met m'n leven en de uitdagingen die ik aanga.

Vroeger dacht ik wel eens na over of, en hoe, het
krijgen van kinderen m'n leven zou veranderen. Dan
was de onvoorwaardelijke aandacht die ze nodig heb-
ben eerder een bron van ongerustheid dan van
vreugde. Nu denk ik niet meer aan het krijgen van
kinderen. Echter, ik merk dat steeds meer koppels en
singles met de vraag worstelen: 'Moet het? Kan het?
Zullen we? Waarom niet? Waarom wel eigenlijk?'

Dit boek, dit verhaal, het is belangrijk voor me,
want ik heb een antwoord, misschien kan ik helpen.

Het leven is een complexe en boeiende uitdaging,
waarin kinderen hun plaats kunnen hebben voor
sommigen, maar niet voor iedereen. Dit boek is voor
alle vrouwen en mannen die nog twijfelen, dit boek is
er voor alle mensen die kinderen willen en ze niet

kunnen krijgen en dit boek is er ook voor iedereen die eigenlijk al wel weet dat het niet in dit leven zal gebeuren - de kleine pagadders die de tuin omspitten- en die nog wat bevestiging nodig heeft.

Mensen die dit boek lezen moeten weten dat ik geen wetenschapper ben, dit boek bevat nauwelijks statistieken, het verhaal is er een recht uit m'n hart. Ik wil dat mensen die dit boek lezen slechts een ding onthouden, niet meer dan een ding: er is geen juist of

Er is geen juist of fout antwoord op de vraag 'Waarom heb je geen kinderen?'

fout antwoord op de vraag 'Waarom heb je geen kinderen?' Er zijn honderden antwoorden. En er is er geen enkel dat juist of fout is, tenzij voor jezelf. Ontdek wie je bent en wees deze persoon, met of zonder kinderen.

Als je kinderen wilt en er geen kunt krijgen, dan is het antwoord niet gemakkelijk, dat zal ik nooit beweren. Maar het antwoord ligt wel voor de hand, al duurt het soms jaren voor je dat kunt aanvaarden. Het leven is er om geleefd te worden, elke dag, er is geen tijd om stil te blijven staan bij wat niet is, wat had moeten of kunnen zijn, zo zie ik het.

Ik (Carolien Krijnen) heb geen kinderen, want ik wil geen kinderen, dat staat vast. Als ik naar het leven kijk, dan zie ik een wereld vol opportuniteiten, kansen en plezier. Het leven met je partner en vrienden en familie is er een vol van liefde en geluk. Daarom heet het boek 'Samen Gelukkig Zonder kinderen.'

Hoe wordt je gelukkig samen zonder kinderen? 'Gelukkig zijn' hangt af van de beslissingen die je neemt. Het hangt af van het feit dat geen kinderen krijgen eindelijk bespreekbaar is. Dat zal veel vrouwen en mannen gelukkiger maken, zelfs al komen ze na wat twijfelen tot de beslissing die ze anders ook genomen zouden hebben. Indien ze dan besluiten om geen kinderen te hebben, is het omdat ze overtuigd zijn dat ze gelukkiger zullen worden. Net dezelfde reden voor koppels om wel kinderen te hebben. Wat je nodig hebt is tijd, iemand om mee te praten en wellicht een boek van iemand die jou voorgegaan is. En als de natuur je verhindert om kinderen te hebben dan is dat zowel een teleurstelling, als een uitdaging, als een kans. Je moet, maar je kunt ook het allerbeste van de situatie maken en meer uit je relatie halen dan je ooit had durven denken.

Ga jij leven zonder kinderen?

D it boek is bedoeld voor mensen die geen kinderen hebben. Dit betekent niet dat het een
anti-kinderboek is. Helemaal niet zelfs. De
keuze voor kinderen is, als er geen biologische beper-
kingen zijn, volkomen vrij, net zoals de keuze om
geen kinderen te hebben. Wel is het zo dat de keuze
voor kinderen of het bewust of gedwongen hebben
van een relatie zonder kinderen voor andere problemen zorgt, andere uitdagingen en kansen om je leven
en je relatie optimaal te beleven. Niet noodzakelijk
beter of slechter, maar wel anders.

Ik zie vier categorieën mensen voor wie dit boek nuttig is:

1. Als je als paar voor de beslissing staat om al dan niet kinderen te nemen. Het boek leidt je door alles wat je moet weten over een vervullend leven. Lees voor alle zekerheid ook even Samen Gelukkig Met Kinderen.

2. Het zou kunnen dat je om welke reden dan ook kinderloos door het leven gaat, terwijl dat niet je wens is. Dan kun je in dit boek wellicht troost vinden en het kan je helpen om de situatie met kinderen te demystificeren. Ook vind je alle handvatten om je leven als paar niet te laten overschaduwen door de onbereikbare kinderwens, als die nog overeind zou blijven.

3. Als je bewust kinderloos bent, dan zul je in dit boek niet zo maar een bevestiging van je keuze kunnen vinden, mocht je daar behoefte aan hebben. Zoals je waarschijnlijk al gemerkt hebt is de keuze voor het niet hebben van kinderen niet zo vanzelfsprekend. Twijfel en maatschappelijke druk zijn een combinatie die het je niet altijd makkelijk maken. Met de praktische tips kun je aan de slag om je te concentreren op het fantastische avontuur waar je in gestapt bent: een relatie die je ten volle beleeft.

4. Het kan ook zijn dat je wel kinderen gehad hebt. Kinderen hebben een groot deel van je leven bepaald. Je grootste zorg, bekommernis, energie en aandacht zijn naar je kind(eren) gegaan en plots zijn ze het huis uit. Dit is het bekende lege-nestsyndroom. Je leven raakt er niet minder door overhoop. Plots ontdek je opnieuw tijd voor jezelf, waar je niet altijd weet wat ermee te doen en in de stilte van het huis bots je opnieuw regelmatig tegen je partner aan, die de afgelopen jaren vaak in de schaduw van de kroost stond. Dat kan een ontdekking zijn, een herontdekking of soms ook een confrontatie die je kunt aangaan of vermijden. Dit vergt een grondige bezinning en een actieve aanpak. Je vindt vast in dit boek heel wat handvatten om hier een prachtige nieuwe start van te maken.

Kinderloos duidt volgens mensen die bewust geen kinderen hebben teveel op een ontbreken van iets.

Hoe verschillend de situatie van al deze types ook is, zij vinden een gemeenschappelijke grond in hun kinderloosheid. Kleine nota daarbij: er is een heel debat gaande over de term voor mensen zonder kinderen. Kinderloos duidt volgens mensen die bewust geen kinderen hebben teveel op een ontbreken van iets. Het legt de nadruk op het hebben van een gezin met kinderen als norm. Zij hebben een voorkeur voor de term kindvrij. Aan de andere kant roept deze laatste term op zijn beurt ook weer weerstand op. Voor veel mensen, vooral met kinderen, bestempelt deze term kinderen als een last, waarvan je bevrijd kunt zijn, terwijl zij ervan uitgaan dat kinderen een zegen zijn. Zoals u op de cover hebt kunnen zien, wordt dit boek door meerdere auteurs geschreven om zoveel mogelijk aspecten aan bod te laten komen. Wat betreft de terminologie denken we verdeeld. Carolien is meer geneigd de term kindvrij te gebruiken. Ik ben meer voor kinderloos omdat je dan aan de ander overlaat de connotatie bij het woord kind in te vullen. Het achtervoegsel '-loos' is natuurlijk op zich licht negatief, maar anderzijds kun je evengoed aanhalen dat de renteloze lening die je kunt krijgen, positief is.

Tot welke categorie je ook behoort en welke term je het liefst hanteert, dit boek gaat over relaties en dan hebben we al een eerste boodschap: aan een relatie moet je werken, maar het zou je meest aangename werk moeten zijn dat je moet verrichten. Overigens geldt dat even goed en misschien meer voor mensen met kinderen. Het verschil is dat paren zonder kinderen niet de afleiding van kinderen hebben, noch de net wat meer dwingende band van kinderen die voor extra motivatie zorgt om bij elkaar te blijven. Dat is overigens ook de valkuil van de relatie die in stand wordt gehouden door de kinderband, het beruchte en gevoelsdodende 'we blijven bij elkaar voor de kinderen'. In die zin is de relatie zonder kinderen in de meeste gevallen oprechter, eerlijker en hechter. Ze dient er niet voor om de lieve vrede voor de kinderen te bewaren.

Is een leven zonder kinderen logisch?

Wanneer ik op stap ga met m'n twee vriendinnen Els en Julie - m'n twee zussen, zoals ik ze noem - gaat het wel eens over kinderen. Zij hebben beiden kinderen en ze hebben geen spijt van die beslissing, dus het gebeurt heel vaak dat ze me het vuur aan de schenen leggen: 'Voel jij dan echt niets, als je een baby in je armen hebt?' of 'Nu je de veertig voorbij bent, denk je dan soms niet hoe het zou zijn om een dochter of zoon van achttien te hebben, die haar of zijn eerste stappen in het echte leven neemt?'

De vragen over mijn keuze om geen kinderen te hebben, lopen als een rode draad door mijn leven. Eigenlijk gebeurt het zelden dat ik een goed gesprek heb met iemand zonder dat mij de vraag gesteld wordt: 'Hebben jij en je man geen kinderen? Waarom niet?'

Terwijl ik er niet aan zou durven denken om iemand te vragen: 'Hebben jullie kinderen? Waarom hebben jullie dat gedaan?'

Het krijgen van kinderen was tot voor kort vanzelfsprekend. Heel veel mensen durfden zichzelf de vraag - kinderen of niet? - niet luidop stellen, want het zou egoïstisch of zelfs onnatuurlijk zijn om de toekomst van het menselijk ras niet veilig te stellen. Wie ben ik dan om zo'n mooie traditie in vraag te stellen? Voor een vrouw kan het nog wat strakker gesteld worden: je bent een vrouw, dus moet je kinderen krijgen, dat is logisch zoals 1 + 1 meestal 2 is.

Elk mens maakt z'n eigen keuzes in het leven. Mijn keuze om geen kinderen te hebben was evident voor mij. Ik heb er lang over nagedacht maar daarna nooit nog een seconde getwijfeld, werkelijk geen seconde. Toch heb ik mezelf ontzettend vaak moeten verantwoorden: elke keer wanneer iemand te horen kreeg dat het een bewuste keuze was dat wij geen kinderen hadden en geen ongelukkige speling van het lot.

Mijn ouders, mijn vrienden en collega's, zelfs

oppervlakkige kennissen en wildvreemden, tot de kranten en de televisie toe: de voorbije jaren wilde iedereen m'n verhaal en beweegredenen horen.

Van alle vrouwen in dezelfde situatie was ik om een of andere reden uitverkoren: eerst was er een journalist die me interviewde voor de krant, daarna werd ik gecontacteerd voor een interview in een maandblad en zelfs de televisie wist me te vinden. Een vrouw die geen kinderen wil, even was het wereldnieuws, een paar jaar geleden, zo leek het me. Toen werd het zaadje geplant om er over te schrijven.

Is het werkelijk zo logisch en normaal en vanzelfsprekend om in de 21ste eeuw een leven zonder kinderen te leiden?

Ondertussen is het geen voorpaginanieuws meer, een vrouw die het hebben van een echte, hechte relatie niet automatisch verbindt aan het krijgen van kinderen en die daarnaast voluit voor haar eigen leven gaat. Echter, de vraag is me wel honderden, duizenden keren gesteld: 'Waarom wil je geen kinderen?' Vaak genoeg bleek de vraag ontstaan uit nood aan bevestiging, omdat zoveel mensen vandaag met hetzelfde vraagstuk zitten: 'Is het werkelijk zo logisch en normaal en vanzelfsprekend om in de 21ste eeuw een leven zonder kinderen te leiden?'

En het antwoord is eenvoudig: 'Ja hoor.'

Vanavond zitten Els, Julie en ik op ons vaste adres, een bruine kroeg in het midden van de stad. We trekken er vaak samen op uit, al 15 jaar, we hebben elkaar door zowat alle fazen van het leven geholpen en dus ook door de glorie en het lijden van het moederschap.

Zodra een vrouw zelf kinderen heeft, is het hek helemaal van de dam.

'Ben jij soms zelfs niet een beetje droevig, dat je geen kindjes van jezelf hebt,' vraagt Elsje me. Zij werd onlangs voor de derde keer moeder, met haar nieuwe vriend, nadat het eerste huwelijk niet echt een succes was gebleken, ondanks twee superschattige dochtertjes.

'Integendeel,' zeg ik, 'dat weet je toch.'

'Jamaar, ik zag heus wel die vertederde blik, toen ik je m'n zoontje in de armen legde.'

Tja... zodra een vrouw zelf kinderen heeft, is het hek helemaal van de dam. Begin dan maar eens uit te leggen waarom je echt geen kinderen wilt. Zelfs na 15 jaar geloven je beste vriendinnen je nog niet. Het is alsof aan dat etiket 'kinderloos' iets treurigs hangt, alsof er iets ontbreekt, een puzzelstuk, zodat de puzzel van je leven nooit volledig zal zijn. Terwijl een leven best wel 'kindvrij' genoemd mag worden, en niet 'kinderloos'.

'Els, ik heb een verhaal voor je,' zeg ik. Meteen zie ik bij Els een argwanende blik. Zij is het van me gewend, altijd heb ik wel weer wat meegemaakt. Dat is omdat ik geen kinderen heb, dat ik zelf zoveel meegemaakt heb, logisch.

'Nou?' zegt Els, 'of probeer je van onderwerp te veranderen?'

'Hoe kan ik jou nou van het onderwerp kids/no kids afbrengen?' grap ik. 'Nee hoor, dit verhaal gaat over jouw lievelingsonderwerp.'

Dat is niet echt voldoende om Els gerust te stellen, dus ik gebaar Marco achter de toog om een tweede fles cava en ik steek van wal.

'Er was eens...'

Ik pauzeer, om Els de kans te geven in te vallen. Ja hoor, meteen steekt ze haar hand omhoog.

'Geen sprookjes, meisje, daar ben ik te oud voor geworden.'

Lachend vertel ik voort.

'Ik weet dat jij en Julie allebei gelukkig getrouwd zijn, doch ik wens jullie niet te onthouden dat wij

sinds wij in het café binnenkwamen aandachtig geob-
serveerd worden door een drietal knappe en deftige
jongemannen.'

Meteen heb ik hun belangstelling.

'Waar? Waar?' sist Julie, ze recht de rug, haar ogen
strak in de mijne, want nu om zich heen kijken zou
een belangrijke strategische fout zijn. Julie trouwde
twintig jaar geleden met haar eerste vriendje, haar
zoon en dochter studeren aan de universiteit en ik
weet duivels goed hoe makkelijk ik haar kan plagen
met de aandacht van een mooie, jonge god, die haar
ijdelheid streelt.

'Nou, Julie, dat je hen nog niet opgemerkt hebt,
dat begrijp ik niet,' bouw ik het verhaal zo traag
mogelijk op. 'Ze zitten strak in het pak en ze drinken
een pilsje. Als je naar rechts kijkt, kun je ze niet mis-
sen, ze zitten te wachten op jouw blik en uitnodiging.'

'Neenee,' reageert Julie meteen, 'jij moet het initi-
atief nemen, ik ben een getrouwde vrouw. Maar een
fris glaasje cava met een smakelijk complimentje, dat
gaat er natuurlijk altijd vlot in.'

Els kijkt haar hartsvriendin pseudo-boos aan.

'Terwijl ik hier met m'n hangbuik zit, ga jij natuurlijk
met het mooiste exemplaar lopen, fijn hoor!'

'Ach wat, dat is toch altijd zo geweest meid,' zegt
Julie, ze fleurt er helemaal van op en de heren zijn
nog niet eens in het spel betrokken. We weten alle

drie dat het een memorabele avond zal worden en evengoed weten we alle drie dat we straks braafjes met de taxi naar huis rijden, verzakend aan de jonge goden, maar een herinnering aan een fijne avond rijker.

'Kinderen zijn vaak het einde van de sensualiteit'

Jeroen (47)

'Op mijn leeftijd denk je als man wel eens: Het is nu of nooit...' vertelt Jeroen. Hij woont samen met Justine (42), sinds tien jaar. Nooit getrouwd, geen van beiden, ook niet met elkaar, en ze hebben geen kinderen.

'Een stel dat zo lang samen is, dan kijken de vrouw en de man af en toe naar elkaar. De ene vraagt dan de andere: "Je bent toch zeker hé, dat je geen kinderen wilt?" Het zal je maar overkomen, geen kinderwens hebben, en jouw partner in die keuze dwingen. Bovendien, voor ons beiden is het zo ongeveer bijna te laat. Gelukkig is het antwoord er telkens meteen: "Nee. Dat mogen we een kind niet aandoen."

'We zitten voor de televisie, en we kijken op het nieuws naar het zoveelste gezinsdrama, of we zappen voorbij aan de miljoenste televisiefilm, over samengestelde gezinnen die niet klikken, of over huwelijken die gered worden met kinderen. Dan kijken we rond, naar ons kleine huisje, en we beseffen dat wij voor onszelf de juiste beslissing genomen hebben, om onze relatie niet met die verantwoordelijkheid en druk te bezwaren.'

'Van Justine ben ik nu zeker, die wil echt geen kinderen, never nooit niet. Bij mij komt er nog wel eens een verdwaalde gedachte voorbijgewaaid, "What if..."

'Wat daarin beslist meespeelt, zijn de drie kinderen van m'n zus. Die zijn nu 15, 14 en 10. Eigenlijk beschouw ik ze als m'n eigen kinderen. Dus haal ik ze op maandag van school af, en op zaterdag ga ik met de twee jongens naar de voetbaltraining. Jammer genoeg beleefde m'n zusje een vechtscheiding, zes jaar geleden, dus die kinderen hebben hun portie al gehad. Ik ben nu hun oom, en peetoom, en vriend. Dankzij de kids van m'n zus, als ik zo'n "What if"-moment heb, dan proef ik er af en toe van, als ik een hele dag met ze op stap ben. Het zal bij proeven blijven.'

'Justine en ik hebben geen kinderen omdat we beiden in dit ene leven zoveel willen doen en beleven. Dat hebben we tegenover elkaar uitgesproken, die wens, die ambitie. Zij is een zelfstandig consulente in marktonderzoek, voor bedrijven, en ikzelf werk als freelance fotograaf. We werken beiden van huis uit, met onregelmatige agenda's en vaak werken we in het weekend of 's avonds. Dat is al zo sinds het begin. We wisten eigenlijk meteen dat we daar geen kinderen wilden of konden inpassen.'

'We zien het vaak genoeg bij de vrienden: kinderen zijn je eerste prioriteit. Soms komt het zelfs voor je relatie. Wij maken elke dag tijd voor elkaar, we ontbijten samen, of we kruipen 's avonds onder een groot deken voor de televisie. Elk jaar zijn er de citytrips, naar Barcelona of naar Milaan, of we kruipen twee dagen in een verwencentrum, met een sauna, een fles cava, lekker eten. Het kan raar klinken, maar we hebben zo'n rijkelijk gevuld leven, dat we soms denken: "Mensen met kinderen, waarom doen ze het eigenlijk?"

'Zo rond m'n dertigste ben ik beginnen nadenken over de zin van het leven. Voor mezelf kwam ik uit bij een aantal vaak eenvoudige gevoelens en belevingen.

Het combineren van rust en creativiteit, het hebben van lol in wat je doet. Laatst las ik ergens: "Neem het leven niet te serieus, want je komt er toch niet levend uit." Dat past wel bij mijn levensfilosofie. Het opvoeden van kinderen zie ik als een bloedserieuze taak, met veel verantwoordelijkheid en stress. Terwijl het leven er juist is om geleefd te worden, om elke

Tussen een vrouw en een man is sensualiteit vaak een bedreigde dier- soort, zeker in een langere relatie.

dag iets nieuws te doen. Hoe graag ik kinderen ook zie, hoe goed ik het ook kan vinden met de kinderen van m'n zus, toch ben ik elke dag blij dat ik zelf geen kinderen heb. Zelf kunnen beslissen wat je doet en niet doet, een investering doen, een uitdaging aangaan, zonder telkens te moeten denken: "Daar gaat het schoolgeld..."

'Ik weet niet of er in dit interview ruimte voor is, maar er is nog iets anders, iets heel belangrijks voor mij, en ik denk voor veel mensen. Iets dat door mensen met kinderen even uit het oog verloren wordt, als ze te jong aan kinderen beginnen. En dat iets, dat ontastbare iets, dat is sensualiteit. Tussen een vrouw en een man is sensualiteit vaak een bedreigde diersoort, zeker in een langere relatie. Ik heb altijd gevreesd dat kinderen daar een rol in spelen, vooral als de kinderen vaak aandacht nodig hebben. Sensualiteit is zo belangrijk voor mij, dat ik het risico niet wil nemen. Een relatie moet boeiend en spannend en zelfs opwindend zijn voor zowel de vrouw als de man, en dat tientallen jaren aan een stuk. Hoe doe je dat met kinderen? Volgens mij is dat een onderwerp voor een boek.'

'Er is zoveel informatie beschikbaar vandaag, over het aantal echtscheidingen en hoe de kinderen daar telkens het grootste slachtoffer van zijn. Zelf kom ik uit een gelukkige familie met ouders die net geen 50 jaar getrouwd waren. Dat was toen, denk ik dan. De meerderheid van m'n vrienden is aan z'n tweede huwelijk toe, soms met kinderen uit twee of drie relaties door elkaar.'

'Als ik vandaag aan m'n vrienden vraag: "Zou je het opnieuw doen, die bloedjes van kinderen van je?", dan hoor ik "Ja hoor!" en lees ik tussen de regels "Had ik toen geweten wat ik nu weet..."

'Ik heb het nog nooit iemand afgeraden, een familie, want dat is iets heel mooi, iets uniek, iets helemaal anders als wat Justine en ik beleven. Maar om het helemaal juist te krijgen, voor alle betrokkenen, met zoveel variabelen en onbekende factoren in de vergelijking... ik durf het eigenlijk gewoon niet aan.'

'Wel honderd keer hebben Justine en ik het verhaal moeten doen, waarom we geen kinderen wilden, en dan was er vaak verbazing, of zelfs onbegrip. Wij kozen voor elkaar. Aan ons zijn niet de beste ouders van het land verloren gegaan. Wij hebben ons de voorbije tien jaar kunnen ontwikkelen, wij hebben zoveel samen kunnen beleven, dat we dankzij elkaar onszelf helemaal gevonden hebben en daar nog tientallen jaren samen van zullen genieten.'

'Dat er iets verandert, is wel duidelijk. Er spelen vandaag veel meer factoren mee. Vandaag lijkt onze keuze om als een kinderloos koppel te leven zelfs logisch. Volgens mij kiezen jonge koppels er steeds vaker voor om geen kinderen te hebben. Al die informatie, die bereikt de juiste oren. Kinderen hebben is niet langer vanzelfsprekend. Kiezen voor kinderen is een heel, heel moeilijke beslissing. De planeet aarde is een reservaat aan het worden, en de mensheid is zélf een bedreigde diersoort geworden. Daar zou ik de volgende jaren aan willen werken, om de aarde en de natuur op te kuisen. De dieren, de planten, de oceanen, ze kunnen zich net als onze kinderen niet verdedigen tegen de tomeloze vreetzucht van de mensheid. Dat klinkt stoer en prekering, maar vandaag ben ik blij dat ik samen met Justine deze keuze gemaakt heb. Ik ben niet trots op de staat van de planeet, zoals we die aan onze kinderen zullen overlaten.'

Maatschappij en kinderloosheid

De Mensheid

De mensheid en de maatschappij zoals we die nu kennen, bestaan omdat onze voorouders kinderen hadden. Door die historische ketting wordt kinderloos door het leven gaan, doorgaans gezien als een abnormale situatie. Dat is vervelend als je bewust kinderloos bent en pijnlijk als je kinderwens niet in vervulling is gegaan. Je wordt verondersteld om de gave die het leven is en die je van je ouders hebt gekregen, door te geven aan je kinderen, louter en alleen al door het feit dat al je voorouders dit gedaan hebben. Als je dat bewust niet doet, krijg je het etiket 'egoïstisch' opgeplakt, want het lijkt erop dat je alleen op jezelf gericht bent en het grote geschenk dat het leven is, hou jij voor jezelf. De keten van het doorgegeven DNA van heel de menselijke geschiedenis stopt bij jou. Hoewel het vaker gedacht wordt en soms hoogstens gefluisterd, is het baarlijke nonsens. Het leven kan een geschenk zijn, maar in ieder geval een waar je niet om gevraagd hebt. Als je zelf beslist het door te geven, dan kun je even goed zeggen dat je het leven opdringt, want je kind kan het niet weigeren. Gedwongen cadeaus zijn geen cadeaus. We zijn niet belast met de erfplicht om ons voort te planten.

Daarnaast moeten we toch ook eens los van alle theorie kijken naar wat de dagelijkse realiteit ons toeschreeuwt over dit zogenaamde geschenk. 30% van de ouders met kinderen zou er niet opnieuw aan beginnen. Er zijn ongeveer 1.600 zelfdodingen per jaar in Nederland alleen. 94.000 mensen ondernemen een poging, terwijl 410.000 mensen zich suïcidaal voelen[1]. Elke dag ontnemen 7 Belgen zich het leven. In de leeftijdsgroep van 24 tot 35 jaar is het zelfs doodsoorzaak nummer 1. Hoe poëtisch we ook

[1] Cijfers afkomstig van het Netherlands Mental Health Survey and Incidence Study (NEMESIS) van het Trimbos-instituut, een representatief onderzoek naar psychische problemen bij de volwassen bevolking van 18-64 jaar

kunnen doen over het leven, blijkbaar zijn er dus heel wat mensen die het geschenk niet bijzonder op prijs konden stellen en overgaan tot de meest drastische oplossing. 17% van de bevolking of zo'n 850 miljoen mensen lijden aan een of andere vorm van depressie. Van die cijfers word je ook niet echt vrolijk.

Onze beschaving is hopelijk wel zover dat we ons niet meer door instinct laten leiden in onze levenskeuzes.

Maar is het hebben van kinderen wel zo maatschappelijk normaal? Biologisch ongetwijfeld, want we worden geacht de soort in stand te houden. Aan de andere kant zijn we dat primitieve stadium toch wel ontgroeid. Onze beschaving is hopelijk wel zover dat we ons niet meer door instinct laten leiden in onze levenskeuzes. Het zou trouwens getuigen van een erg lichtzinnig omgaan met levende wezens. Je legt dan iemand anders, je kind, verantwoordelijkheden en keuzes op die je zelf niet hebt willen maken. Je geeft je DNA door uit traditie en laat de volgende generatie maar nadenken. Keuzes moet je zelf maken en dat houdt in dat je er ernstig over nadenkt, waarbij het mij niet uitmaakt welke keuze je maakt, als je dat maar in volledig bewustzijn doet. Praktisch gezien beschikken we over voldoende middelen om geboortes te beperken.

Overigens kent elke beschaving die geconfronteerd wordt met schaarste, methodes van geboortenbeperking. Zo maken de Aboriginals een opening onderaan de schacht van hun penis waarlangs het zaad kan ontsnappen. Paren zij met het oog op voortplanting – en dat is alleen als er voldoende voedsel voorhanden is – dan houden ze hun vinger op het gaatje om zo het zaad door te laten stromen. Overigens is er volgens hen nog een bijkomende voorwaarde, namelijk dat man en vrouw dezelfde droom – letterlijk – delen.

Verantwoordelijkheid

Er is waarschijnlijk geen taak op aarde die zoveel verantwoordelijkheid vergt als het opvoeden van kinderen. Gek dat er over de aankoop van een auto of de keuze van een hoofdgerecht in een restaurant vaak langer wordt nagedacht dan over het creëren van nieuw leven. Daarbij moet je er natuurlijk wel rekening mee houden dat je nooit in een dronken bui een auto koopt of uit pure lust een menu bestelt.

Die noodzakelijke verantwoordelijkheid, met name het voorafgaandelijk nadenken over de gevolgen en de bereidheid om die in te passen in je leven, slaat niet alleen op de kinderen, maar gaat ook over jezelf en je relatie. De keuze voor een kind is de meest fundamentele die je kunt bedenken. Als je baan je niet bevalt, dan ga je voor een andere. Van een partner kun je ook afscheid nemen. Een kind kun je niet terugstoppen of een andere nemen als deze je niet bevalt.

Tegenwoordig heb je ongeveer voor alles een vergunning, een diploma of een bekwaamheidscertificaat nodig, maar een kind kan iedereen zonder enig probleem verwekken. En dat moet ook blijven kunnen, het behoort tot de fundamentele menselijke vrijheden, maar soms zou je daar toch aan beginnen twijfelen. Adoptie-ouders moeten een lange weg afleggen van testen, proeven en wachten om een kind te mogen adopteren, maar als je gezegend bent met voldoende vruchtbaarheid, dan staat er plots geen enkele rem op het ouderschap en is er nauwelijks controle achteraf.

Bewust kinderloze paren krijgen wel eens het verwijt naar het hoofd geslingerd dat het wel de kinderen zijn die later voor onze pensioenen en onze welvaart zorgen. De realiteit is dat kinderloze echtparen hier meestal zelf wel voor kunnen zorgen omdat kinderloosheid heel wat kosten uitspaart.

Een kind opvoeden tot meerderjarigheid kost minimaal 100.000 Euro[2]. Dat betekent dat je kind als

[2] Volgens de berekeningen van de studiedienst van de Gezinsbond in 2009

belegging niet altijd het beste idee is, tenzij je een kind als Christiano Ronaldo hebt voortgebracht. De bekende bioloog en schrijver Midas Dekkers zegt o.a. in zijn fantastische boek De Larf niet ten onrechte dat kinderen ook voor het krijgen van affectie het in een kosten/batenanalyse moeten afleggen tegen een hond of een kat. Kinderloze paren kunnen dus in het algemeen zelf voor hun oude dag zorgen.

En oh ja, daarnet hadden we het er toch over dat het niet verwekken van nageslacht als egoïstisch werd bestempeld? Maar nu moeten die kinderen plots dienen om onze pensioenen veilig te stellen? Is dat dan net niet egoïstisch? Hmm, argumenten zijn soms handig in bochten te wringen.

Conclusie. Er is helemaal niets mis mee om het toe te geven: kinderen worden in het beste geval verwekt omdat de ouders kinderen willen hebben, in het slechtste geval omdat ze er niet over nagedacht hebben.

De Tijdbom

Maar goed, de beslissing om geen kinderen te nemen is niet eenvoudig. Als een vrouw geen kinderwens heeft, loert er toch altijd een vorm van twijfel om de hoek. Bij de man is dat ook zo, maar daar ontbreekt een belangrijke tijdsfactor. Omdat een man tot op gevorderde leeftijd vruchtbaar kan zijn, is de dringendheid van de beslissing minder. Hoewel de techniek nu al zo ver is dat ook bij de vrouw een kinderwens tot op hoge leeftijd kan ingewilligd worden, toch is dit nog geen gemeengoed en is het ook veel lastiger om een vrouw van vijftig een kind te laten krijgen dan een man van dezelfde leeftijd. Bovendien wordt een vrouw er elke maand aan herinnerd dat haar lichaam een instrument is dat op regelmatige tijden wordt klaargestoomd om kinderen te produceren.

Waarom vinden de meeste mensen het hebben van kinderen de norm?

Die twee factoren zorgen voor de beruchte biologische klok die vrouwen, maar ook hun partners, onrustig kan maken. De omgeving kan en zal aan die onrust nog bijdragen. De sociale druk komt onbewust en voornamelijk van mensen die wel kinderen hebben. Dat is psychologisch gezien een erg interessant gegeven. Want waarom vraagt iedereen toch naar je kinderen of je kinderwens? Waarom vinden de meeste mensen het hebben van kinderen de norm? We kunnen er niet aan voorbij gaan dat het verder zetten van je soort een basisinstinct is, maar dat is het vechten om eten ook of het paren met elke partner die zich aanbiedt en dat hebben we afgeleerd door iets wat wij beschaving noemen.

Als de vraag naar kinderen komt dan zal het waarschijnlijk zijn omdat mensen die zelf kinderen verwekt hebben, niet geconfronteerd willen worden met een andere keuze. Het is zelfs niet uitgesloten dat ze er stiekem of gedeeltelijk zelfs jaloers op zijn. Ieder mens wil graag zijn eigen beslissing bevestigd zien als de goede. Mensen met kinderen zien graag dat anderen ook kinderen nemen, net zoals paren zonder kinderen bevestiging zoeken in anderen zonder kinderen. Dat is perfect normaal. Weet je wie de advertenties voor auto's het meest lezen? Zij die net een auto van dat merk gekocht hebben Ze lezen de reclame om bevestigd te zien dat ze een goede keuze hebben gemaakt. Als je mensen in je omgeving hebt die jou pas normaal lijken te beschouwen als je kinderen wilt, dan zegt dat meer over hen dan over jou. Het grote en meest kwetsende eindpunt van zo'n discussie is dan dat het nog wel zal komen. Alsof jij abnormaal bent en achterloopt in je ontwikkeling.

Het hebben van kinderen wordt zwaar overschat.

Mensen vragen je steeds opnieuw waarom je geen kinderen hebt. Ik ben nog nooit op een feestje volgende conversatie gehoord:

"Heb je kinderen?"

"Ja, twee."

"Oh, hoe komt dat?"

Als je zegt dat je geen kinderen hebt, hoor je die vraag 'Waarom niet' echt voortdurend. Je bent een buitenbeentje. Ouders lijken ook over niets anders te kunnen praten dan over hun kinderen. Je kunt je afvragen of dat komt omdat het zo geweldig is om kinderen te hebben of omdat hun kroost zo'n beslag legt op hun belevingswereld. Ik vrees dat het vaak het laatste is. Let eens op jonge vaders die achter de kinderwagen lopen, zeker als het kind ouder is dan drie maanden. Je leest bijna in hun ogen een diepe gelatenheid, alsof ze beseffen dat hun taak als verwekker erop zit. Soms zie je een trotse vader vol vreugde, maar meestal zie je uitgebluste ogen. Vrouwen worden zo opgeëist door hun baby dat ze de verwekker dreigen te vergeten. Pas als er opnieuw leven verwekt moet worden, komt de echtgenoot weer in beeld. Tijd voor de man om opnieuw op te leven en omdat hij de afgelopen tijd emotioneel verwaarloosd is geweest, is hij maar al te graag bereid om zijn plicht te vervullen. Een karikatuur? Overdrijf ik? Ik wou dat het waar was, want de realiteit lijkt hier al te vaak op en ik heb het zelf meegemaakt. Het kind wordt het nieuwe bindmiddel van de relatie, het vervangt de drang tot voortplanting op zichzelf. Natuurlijk heb ik het niet goed aangepakt, natuurlijk heb ik het laten gebeuren, maar als het mij en mijn vrienden overkomt, maakt het dat nog niet tot de norm, maar het is zeker geen uitzondering.

En het belangrijkste van alles: waar is de liefde? Natuurlijk kan die er ook zijn in een relatie met kinderen, maar bij een kinderloos echtpaar is er niets anders dan de liefde. Of tenminste dat zou het moeten zijn, want als gewoonte of dwang het bindmiddel zijn, dan is er iets fundamenteel mis, maar er is tenminste niets dat het kan toedekken, geen afleiding van afhankelijke wezens.

Soms lijkt het wel of het ultieme doel van het leven is om ander leven te creëren. Ik kan me niet voorstellen dat het zo eenvoudig en lineair is. Opnieuw lijkt het dan dat we de zin van het bestaan afwentelen op de volgende generatie. Zelfontwikkeling lijkt me een veel belangrijker en nobeler doel. Jouw bijdrage aan de wereld kan veel waardevoller zijn dan het louter verder zetten van de historische keten van geboorte en dood. Meer nog: kinderen kunnen je behoorlijk afleiden van je zelfrealisatie en ervoor zorgen dat je niet meer aan jezelf toekomt. Op die manier zijn je nazaten een perfect excuus om niet het beste uit jezelf te halen. Vanzelfsprekend staan kinderen niet noodzakelijk zelfrealisatie in de weg, maar de combinatie van de drukte, de aandacht die ze opeisen en de makkelijke afleiding van je eigen doelen die ze kunnen bieden, maken wel dat het veel moeilijker is om het juiste evenwicht hierin te vinden.

We moeten ook niet de illusie koesteren dat onze kinderen de wereld zullen redden. Toekomstige ouders lopen te vaak met het idee rond dat hun kind de volgende Beethoven of Einstein zal zijn, vaak tegen alle wetten van de genetica in. Die illusie kunnen ze nog een tijdje volhouden als het kind geboren wordt. Naarmate het kind opgroeit blijkt wel dat zij meer en meer alleen komen te staan met die mening. Het kind blijkt dezelfde middelmatigheid te bezitten als de andere etters om ons heen. De kans dat het ooit een Beethoven of een Einstein wordt, slinkt met de dag dat ze opgroeien. En dat is ook niet verwonderlijk. Zelfs de kinderen van Einstein bleken geen (figuurlijke) Einstein te zijn[3].

Uiteindelijk hebben ouders doorgaans een kind verwekt wiens meest bijzondere prestatie zal zijn dat het ook kinderen verwekt. Is dit een pessimistische visie? Niet noodzakelijk. Het is een positieve vorm van realisme, want het is alleen maar goed dat je beseft dat je de ontwikkeling van je eigen persoonlijkheid en talenten niet hoort af te wikkelen op kinderen. Dat soort druk leggen bij kinderen grenst aan

[3] Eduard Einstein bleek wel geniaal, maar ontwikkelde schizofrenie en geraakte de psychiatrische instelling niet meer uit. Hans Albert Einstein was wel intelligent, maar niet in de mate van zijn vader.

psychologische kindermishandeling. Het volstaat om eens naar een voetbalwedstrijd voor tienjarigen te gaan en naar de ouders langs de lijn te kijken en te luisteren en je begrijpt onmiddellijk wat ik bedoel.

Kinderen krijgen is een natuurlijk proces en lijkt altijd plezieriger dan het is. We zijn genetisch geprogrammeerd om kinderen te verwekken en de activiteit die er toe leidt, is bijzonder aangenaam. Omdat we zo

Soms zien we pareltjes, in werkelijkheid worden kinderen (van anderen) meer gezien als irritant.

geprogrammeerd zijn, overschat iedereen zijn eigen kind en dat is een bijzonder goede truc van moeder natuur. Als iedereen zijn eigen kind zou zien zoals de objectieve waarnemer zou doen, dan zouden we helemaal anders aankijken tegen onze kroost. Misschien zou dat leiden tot verwaarlozing, maar misschien ook tot meer bezinning alvorens zich voort te planten. Dat geldt niet alleen op het vlak van de onrealistische verwachtingen over wat een kind kan, maar ook in de sfeer van de liefde die we hopen te ontvangen. We kunnen hopen op liefde van een kind, maar realistischer is het om te rekenen op onverschilligheid. Vergelijk het opnieuw met kinderen van een ander. Soms zien we pareltjes, in werkelijkheid worden kinderen (van anderen) meer gezien als irritant.

Kinderen proberen steeds de aandacht naar zich toe te trekken. Dat is geen verwijt, het is een compliment want het is een uitstekende overlevingsstrategie voor een kwetsbaar wezen. Omdat baby's zo hulpeloos zijn, hebben ze alle kenmerken gekregen om volwassenen te vertederen en te manipuleren. Op die manier worden er bij de volwassene allerlei hormonale processen in gang gezet die ervoor zorgen dat de ouder instinctief een deel van de energie die bestemd is voor zichzelf, besteedt aan het kind. Prachtig toch hoe de natuur in elkaar zit. Een kariboejong kan bijna onmiddellijk na de geboorte lopen en doet dat ook, anders is het gedoemd. Een mensenjong kan niets en heeft daarom sterke verleidingswapens: grote ogen, een schattige glimlach, kleine, niet-bedreigende bewegingen, een korte, ongevaarlijke kaak, enzovoort. Op die manier bereikt het kind wat het nodig heeft: voedsel, aandacht en bescherming die ertoe bijdragen dat het zijn doel bereikt, zijn enige doel. Volwassen worden. Kinderen zijn daarom ook de perfecte managers. Zij weten hun vader en moeder naar hun hand te zetten en als de ouders daar geen weerstand tegen bieden, zijn alle grenzen verdwenen. Het kind zal, indien de ouders er geen paal en perk aan stellen, pas een grens zien als de ouder helemaal dreigt weg te vallen. Tot zolang zal het kind doorgaan. Daarmee is ook het belangrijkste opvoedingsprincipe geformuleerd. Handig voor als je op de neefjes moet passen.

De leidraad van deze eerste hoofdstukken blijft dezelfde: alvorens iemand aan kinderen begint, zou hij of zij wat langer stil moeten staan bij de consequenties. De mens heef zo vaak de neiging om een niet-bestaande situatie te idealiseren. Wie werkloos is, wil graag werk, wie zich elke dag naar het werk sleept, snakt naar vakantie. Zo is het ook met kinderen. Wie ze niet heeft, schetst er een ideaal plaatje van, wie ze wel heeft, benijdt kinderloze paren. Het spreekt voor zich dat beide situaties voor- en nadelen kennen, maar ik ben ervan overtuigd dat de balans overslaat in het voordeel van een bestaan zonder kinderen. Dat is in geen geval een uitspraak over individuele gevallen, maar slechts een algemene vaststelling. Dat geldt niet alleen voor het individu, maar ook voor de maatschappij en de wereld. Daarom zetten we enkele specifieke argumenten op een rij in de volgende hoofdstukken.

Is het krijgen van kinderen een menselijk instinct?

O p het internet zijn er veel schrijnende verhalen te vinden van stellen die hemel en aarde
bewegen om een kind te krijgen. Samen met
mij mag iedereen deze mensen bewonderen voor hun
moed en liefde en doorzettingsvermogen.

Poging 1: mislukt..........
Poging 2: mislukt..........
Poging 3: miskraam.......
Poging 4: mislukt..........
Poging 5: mislukt..........
Poging 6: mislukt..........
Poging 7: mislukt..........
Poging 8: miskraam.......
Poging 9: mislukt..........
Poging 10: mislukt..........
Poging 11: Zwanger!!!!!!!!!!

'Wij zijn eindelijk zwanger na IVF', 2008
Mila Van Grootel,
http://babyvangrootel.skynetblogs.be

Voor het stel uit deze mail is het gelukt, echter voor vele anderen lukt het niet, omdat zij niet het geld of het geduld of de liefde hebben om het zo lang vol te houden. Alweer heel veel verdriet voor twee mensen en iedereen rond hen.

Ik gooi even m'n eigen ruiten in, door hier te vertellen wat er door me heen gaat als ik dit verhaal en alle andere gelijkaardige verhalen lees, want men zou het verkeerd kunnen interpreteren, alsof ik een oordeel

wil vellen. Het enige wat ik er hier over wil zeggen, is dat de medische vooruitgang zo groot geworden is, dat veel mensen die vroeger kinderloos gebleven zouden zijn, nu wel eigen kinderen kunnen krijgen. Hopelijk zijn al deze mensen gelukkig. Want wie zo hoog mikt, kan heel diep vallen. Kinderen hebben is geen instinct en evenmin is het een plicht of verplichting.

Zeg nu zelf, waarom moet dat kind er absoluut eentje zijn van je eigen vlees en bloed?

Opnieuw, ik bewonder hen want ze proberen hun droom te realiseren. Anderzijds meen ik te moeten zeggen: ben je zeker dat jouw baby gezond zal zijn, als hij op een dergelijke manier verwekt wordt? De eerste studies wijzen uit dat IVF baby's lichamelijke problemen kunnen hebben die bij andere baby's minder voorkomen.

Ben je zeker dat je na de geboorte niet in een zwart gat zal vallen, want je hebt tien jaar ergens naar toe geleefd en nu moet dat arme kind aan alle verwachtingen voldoen...

Een optie voor mensen die moeilijk hun kinderdroom kunnen realiseren, is adoptie. Dit is een minder zware aanslag op je lichaam, je hoop, je portemonnee, je relatie. Zeg nu zelf, waarom moet dat kind er absoluut eentje zijn van je eigen vlees en bloed? Nooit zal ik een oordeel vellen over een medemens, het enige wat ik wil doen met dit boek is tot nadenken aanzetten. Geen enkel gespreksonderwerp mag uit de weg gegaan worden. Adoptie is een reële uitweg voor wie echt kinderen wil.

Red de mensheid, krijg een kind

Kent de mens zoiets als een oerinstinct tot voortplanting? Bestaat er zoiets als een aangeboren behoefte om voor nageslacht te zorgen? En is het waar dat een mens depressief wordt als hij niet aan dit instinct toegeeft?

Prof. Dr. Ruud Veenhoven (Faculteit Sociale Wetenschappen aan de Erasmus Universiteit Rotterdam) onderzocht deze stellingen en herleidde de theorie over de menselijke voortplanting tot zeven uitgangspunten, die door veel mensen als algemeen aanvaard beschouwd worden.

Alle diersoorten hebben een aangeboren behoefte om nageslacht voort te brengen. Als ze dat niet hadden, sterven ze uit.

'Ik heb geen kinderen nodig om gelukkig te zijn'

Nathalie (36)

'Ik heb heel lang gewacht op het moedergevoel,' vertelt Nathalie. Met echtgenoot Philippe woont zij met hun twee jonge poesjes, Hoera en Joepi, in een kleine, gezellige woning.

'Baby's vertederden mij nooit, ik heb er niets mee. Met vriendinnen wordt er veel gepraat over het moedergevoel en over kinderen. Dat zal wel met onze leeftijd te maken hebben zeker? Zij hebben bijna allemaal kinderen, of ze zijn zwanger, of ze zijn het aan het proberen. Terwijl ik nooit gefantaseerd heb over een gezin met kinderen. Ik heb geen nageslacht nodig om gelukkig te zijn.'

'Ik heb één vriendin die geen kinderen kon krijgen. Ze heeft nu dankzij IVF toch een kindje. Onze vriendschap is een tijdje bekoeld, omdat zij niet begreep dat ik geen kinderen wilde, terwijl zij zoveel moeite moest doen. Terwijl ik dan weer niet begreep dat zij zoveel moeite deed. Blijkbaar is het hebben van kinderen voor sommige mensen ont-zet-tend belangrijk. Ondertussen is het goed gekomen hoor, en heeft ze een prachtige baby.'

'Mijn beslissing heb ik al heel vaak moeten motiveren, vooral als ik mensen net leer kennen. Nochtans ben ik er van overtuigd dat die beslissing van mij, om geen kinderen te hebben, veel beter gemotiveerd is dan die van sommige moeders. Die denken: "Ik stop met de pil, en we zien wel." Een maand later zijn ze zwanger, zonder te weten waar ze aan beginnen. Niemand vraagt hen ooit om dat te motiveren. Er zijn denk ik ook mensen die kinderen maken omdat ze hopen dat die het beter zullen doen dan zijzelf. Dat is volgens mij ook niet echt de beste reden.'

'Natuurlijk is het hebben van kinderen een verrijking is van je leven. Maar dat is het niet hebben van kinderen ook, als je het anders bekijkt. Je leest andere boeken, je kijkt naar andere televisieprogramma's. Er is tijd voor andere dingen; feestjes, tentoonstellingen, festivals, optreden, voorstellingen, vrienden bezoeken, en dat alles zonder lang van tevoren te plannen. Eén van m'n vriendinnen heeft kinderen, en zij doet dat alles ook vaak. Maar dan alleen. Omdat haar man bij de kinderen blijft. En af en toe gaat hij, en blijft zij thuis. Zo zou ik het niet willen doen.'

'Voor mij is leven zonder kinderen ook een verrijking, omdat het niet allemaal om dat kind draait.'

'Voor mij is leven zonder kinderen ook een verrijking, omdat het niet allemaal om dat kind draait. Je wilt dat een kind van alles leert, zich ontwikkelt, en je gaat dat proces ondersteunen met de juiste impulsen voor dat kind. De impulsen waar ik naar op zoek ga, zijn impulsen voor mij, voor mijn persoonlijkheid.

Als ik nadenk: "Wat maakt mij gelukkig?", dan hoort het hebben van kinderen daar niet bij. Zo ben ik bijvoorbeeld iemand die zich snel zorgen maakt, vraag dat maar aan m'n man. Met kinderen zou ik geen leven hebben. Zijn ze warm genoeg aangekleed, hebben ze de juiste vriendjes, fietsen ze wel op het fietspad, stoppen ze voor het rode licht? Die zorgen zouden me eerder ongelukkig maken, en dat kan de bedoeling van het leven niet zijn. Anderen vinden het misschien oppervlakkig van me, maar ik ben best blij met mijn zorgeloos leven.'

'Misschien zullen wij later iets missen, als de kinderen groot geweest zouden zijn. Misschien. Wat als die kinderen in Nieuw Zeeland gaan wonen? Het is heus niet omdat je kinderen hebt, dat je niet alleen woont. Laatst zag ik een statistiek: ouder wordende mensen wonen in slechts 3% van de gevallen bij hun kinderen in. Dus wonen 97% van de ouders alleen, hopende dat hun kinderen langskomen. De relatie ouder-kind zie ik niet als een vriendschapsrelatie, eerder in een verhouding mentor-pupil.'

'In sommige relaties past het, samen kinderen maken, samen leven creëren. Het kan een bekroning zijn van een relatie. Ik heb het gevoel dat de relatie met mijn man dat niet nodig heeft, wij praten heel veel, wij doen heel veel samen, bijna alles.'

'Wij hebben weer een vakantie geboekt. Daar kijk ik echt naar uit. Samen in Italië terrasjes doen, museums bezoeken, van de ene plaats naar de andere trekken. Onze kinderen hadden we dan bij de oma van m'n man moeten onderbrengen. Maar die is ondertussen 77, zorgt al veel voor haar kleinkinderen en is bovendien net weduwe geworden. Ik ben enig kind, mijn ouders zijn nog jong en hebben een heel actief leven. Die gaan écht geen twee weken babysitten. Dus, indien wij kinderen hadden, dan had ik m'n vakantie helemaal anders moeten boeken, dan was er veel meer organisatie bij komen kijken. Nu is het één mailtje naar het Poezenhotel, en klaar.'

'Ik heb geen enkele financiële zorg. Geld was in ieder geval geen factor om kinderloos te blijven, maar toch, een kind er bij... ik zou het kind alles willen geven om het gelukkig te laten zijn. Ik zou het ver-schrikkelijk verwennen. Dat zou wellicht ten koste zijn gegaan van ons, en van wat wij doen. Hou het maar zo, ik ben best gelukkig met ons leven nu.'

Overbevolking

Armoede, ontwikkeling en milieu

Het is geenszins de bedoeling een doemscenario te schetsen, maar tegenover de idealisering van het gezin, mag ook wel eens een ander beeld geschilderd worden. Het succes van de menselijke soort bedreigt onze planeet. We staan dicht bij het punt waarop de aarde niet meer kan voorzien in de groeiende behoeften van de mens op het vlak van voeding, schone lucht, drinkbaar water en levensruimte. Daarom groeit de bezorgdheid terecht over de zogenaamde ecologische voetafdruk. De ecologische voetafdruk is de hoeveelheid oppervlakte van de aarde die nodig is om in jouw behoeften te voorzien. De gemiddelde wereldburger heeft volgens de berekenaars hiervan op dit ogenblik 2,3 hectare nodig. Ik heb de verschillende tests die er bestaan om dit te berekenen eens identiek ingevuld, met één verschil, namelijk de gezinsgrootte. Als ik de test als alleenstaande invulde, had ik gemiddeld 14,2 hectare nodig. Als ik een partner en 2 kinderen zou hebben, kwam ik op gemiddeld 8,7 hectare uit. Dat is wel een kromme redenering, want in deze optiek heb ik minder oppervlakte nodig naarmate ik meer mensen produceer die oppervlakte nodig hebben. In het gegeven voorbeeld betekent dat dus dat ik twee mensen op aarde heb gezet met een voetafdruk die even groot is. Op die manier ben ik verantwoordelijk voor 17,4 hectare extra belasting van de aarde. Maar vreemd genoeg wordt dat nergens vermeld. In geen enkele berekening, vond ik daar ook maar de minste verwijzing naar. En toch is de overbevolking minder veroorzaakt door te grote individuele consumptie dan door consumptie door teveel mensen. De meest ecologische daad die je kunt stellen, is geen kinderen produceren en zodoende de druk op de aarde verminderen. De link tussen het individuele verwekken van kinderen en de algemene problemen die gepaard gaan met overbevolking is in de gehele ecologische discussie geheel verloren gegaan. Misschien omdat het een taboe is de ongebreidelde voortplanting in vraag te stellen?

De menselijke wereldpopulatie kent de laatste paar eeuwen een exponentiële groei. Ze groeide zeer traag tot ongeveer 1650, maar verdubbelde dan in de twee volgende eeuwen, verdubbelde opnieuw tussen 1850 en 1930, en nog eens tussen 1930 en 1975.

Blijkens het huidige DNA onderzoek moet de hele wereldbevolking uit één stam zijn voortgekomen. Het valt moeilijk te zeggen hoe groot de beginkolonie zal zijn geweest, maar in ieder geval groot genoeg (bijvoorbeeld 30.000) om te kunnen overleven. De zware strijd om het bestaan blijkt doordat deze beginkolonie ongeveer 2,5 miljoen jaar nodig had om te kunnen verdubbelen tot ongeveer 80.000 mensen. Bij het begin van de moderne mens, zo'n 10.000 jaar geleden, bedroeg de wereldbevolking 10 tot 20 miljoen mensen. Aan het begin van onze jaartelling zou die zijn toegenomen tot een kleine 100 miljoen. Volgens onderzoekers bedroeg de wereldbevolking in de Middeleeuwen ongeveer 300 miljoen. Momenteel zijn er meer dan 6 miljard mensen op aarde. Als dezelfde groei aanhoudt, zullen er in 2017 8 miljard mensen leven. Er worden vandaag zo'n 9.000 mensen per uur geboren, of ruim 2 per seconde.

Overigens geldt dat ook en misschien zelfs nog meer voor de ontwikkelingslanden met betrekking tot de voedselvoorziening. Er is geen duurzame oplossing voor het hongerprobleem in bepaalde gebieden zonder dat er maatregelen worden genomen op het vlak van geboortebeperking. Als je hulp niet laat vergezellen van geboortebeperking, dan kun je het probleem

Er is geen duurzame oplossing voor het hongerprobleem in bepaalde gebieden zonder dat er maatregelen worden genomen op het vlak van geboortebeperking.

wel tijdelijk oplossen met het uitdelen van voedsel en zelfs met landbouwprogramma's kun je het trachten te bestrijden, maar als mensen gevoed en verzorgd geraken, zullen ze gewoon meer kinderen voortbrengen die dan ook nog eens (gelukkig) blijven leven. De bevolkingsexplosie die daar het gevolg van is, leidt opnieuw tot een wanverhouding tussen voedselvoorziening en behoefte, met een nieuwe catastrofe tot gevolg. Dit blijft een zwaar beladen punt dat zelden wordt aangehaald. Het ligt al gevoelig om over menselijke voortplanting een standpunt voor beperking in te nemen, het maakt het in het kader van deze discussie nog veel gevoeliger. Die gevoeligheid ontstaat uit een postkoloniale schroom waardoor we vooral willen vermijden mensen uit ontwikkelingslanden de les te lezen. Ik heb daar begrip voor en het is inderdaad zo dat je betutteling moet vermijden. Maar als het probleem deze omvang heeft, dan is dat ook veroorzaakt doordat we die mensen gigantische sprongen hebben laten maken in wat wij ontwikkeling noemen. De ontwikkeling in de Westerse wereld is redelijk geleidelijk gegaan. In die ontwikkeling hebben we goede dingen gedaan en fouten gemaakt, bijvoorbeeld op het vlak van milieu, ideologie of demografische ontwikkeling. Het is niet omdat wij die fouten hebben gemaakt dat wij ze ook zo maar moeten laten begaan door regio's die wij in een westers geörienteerd ontwikkelingspatroon hebben geleid of geduwd. Het is net een toegevoegde waarde dat wij onze kennis delen opdat zij tenminste van onze fouten kunnen leren en ze kunnen vermijden. Pas dan nemen we de verantwoordelijkheid op voor wat we gedaan hebben met de kolonisatie.

Even terug naar de redenen waarom er zo weinig over geboortecontrole gesproken wordt in het perspectief van internationale hulpverlening. Heel wat hulporganisaties hebben een religieuze achtergrond. Dat draagt er nogmaals toe bij dat de invoering van geboortebeperkende maatregelen moeilijk ligt. Ik heb daar begrip voor, maar de realiteit is te schrijnend om eraan voorbij te gaan.

De oplossing ligt zo voor de hand dat het onthouden van de mensen van deze bewustwording misdadig is. Dat betekent niet dat men geboortebeperking moeten opdringen, maar het moet de mensen wel duidelijk gemaakt worden dat kinderen geen materiële rijkdom betekenen, maar de oorzaak van honger en armoede.

Oorlogen en conflicten

De bevolking van de Gaza-strook, tussen Israël en Egypte in, groeide de voorbije decennia sterk aan. Sinds 1960 verzesvoudigde het aantal inwoners er, van 250.000 tot ruim 1.5 miljoen mensen. Bovendien leven er in Gaza voor elke 1.000 mannen van 40 tot 44 jaar oud vier keer meer jongens tussen 0 en 4 jaar. Deze verhouding van 1 op 4 tussen ouderen en jongeren staat in sterk contrast met de situatie in het Westen, waar deze verhouding ongeveer 1 op 1 is.

Nadat de Islamitische verzetsbeweging Hamas in 2007 haar concurrent Fatah uit de Gaza-strook verjoeg, betekende dat helaas niet het einde van de vijandelijkheden, die tot vandaag voortduren. Volgens sommige sociologen is het eindeloze geweld in Gaza typisch voor landen waar minstens 30% van de mannelijke bevolking tussen 15 en 29 jaar oud is.

Deze zogenaamde 'jeugdpiek' in de bevolkingspira-
mide zorgt ervoor dat jonge mannen elkaar viseren,
elkaar aanvallen. Teveel jonge mannen hebben vaak
te weinig om handen. De arbeidsmarkt biedt hen nauwelijks perspectieven en de jongemannen kiezen
voor radicale oplossingen. Ze vechten het uit, tot een
balans bereikt is tussen hun ambities en het aantal
interessante posities die in het land beschikbaar zijn.

Jongeren aan de basis van wereldwijde conflicten

Door de eeuwen heen is de 'jeugdpiek' volgens die
sociologen de verklaring voor conflicten. Toen Japan
China binnenviel in 1932 vertegenwoordigde de jeugd
ruim 42% van de bevolking. Bij het hernieuwen van
de diplomatieke betrekkingen met China in 1972 was
dat gedaald tot 35% en vandaag is dat percentage
minder dan 25%.

Eind jaren negentig was in de Balkan ruim 30% van
de mannelijke bevolking tussen 15 en 29 jaar oud,
met het gekende gevolg. Een 'jeugdpiek' veroorzaakte tevens de burgeroorlog in Libanon, tussen 1975 en
1990, net als de opstand in Algerije tussen 1999 en
2006. In Libanon en Algerije veroorzaakte het geweld
daarna een drastische daling in het aantal geboortes.
Volgens de sociologen stopte het geweld na verloop
van tijd automatisch, omdat er geen nieuwe soldaten
werden geboren.

Sommige sociologen gaan nog verder, en stellen dat de dreiging die vandaag van het Moslimterrorisme uitgaat, veroorzaakt wordt door de 'jeugdpiek'. Het is volgens hen geen toeval dat in de meeste Arabische landen vaak tot 40% van de bevolking bestaat uit jonge mannen tussen 15 en 29 jaar oud, net als in Iran, Afghanistan, Irak en Pakistan.

Nieuw beleid van de Verenigde Naties en het Westen

Volgens sociologen stopt het vechten in Gaza niet, omdat het aantal geboortes er al decennialang even hoog blijft. De VN staan vandaag in voor zowat alle gezondheidszorg in Gaza. Zonder een sterke eigen economie rekent Gaza voor het voortbestaan vooral op steun van het Westen en de VN.

De sociologen suggereren dan ook dat Gaza op andere manieren beter geholpen kan worden. Een gericht bevolkingsbeleid moet onderdeel worden van het instrumentarium van het ontwikkelingsbeleid. De VN, de VS en Europa kunnen de jonge mannen in Gaza een toekomst geven, door ze te helpen emigreren. Andere oplossingen zijn het aanbieden van opleidingen in Gaza, en het creëren van werk. Maar vooral zou geboortenbeperking, meer dan welke maatregel ook, eindelijk vrede kunnen brengen in deze al veel te lang geplaagde regio.

Wie introduceerde de 'jeugdpiek' theorie?

Gunnar Heinsohn (1943), een Duits socioloog, schreef een invloedrijk artikel over de 'jeugdpiek' theorie in International Wall Street Journal. In 2009 verschijnt 'Zonen grijpen de wereldmacht' in het Nederlands, een provocatief boek over terrorisme. Gunnar Heinsohn schreef ruim 700 artikels en boeken en is hoogleraar sociaalpedagogiek aan de universiteit van Bremen.

De invloed van de 'jeugdpiek' stelling op het buitenlandse beleid van de Verenigde Staten groeit, dankzij Jack Goldstone en Gary Fuller, twee invloedrijke Amerikaanse sociologen en adviseurs van de Amerikaanse regering.

Voor meer informatie: PAI (www.population-action.org) is een onafhankelijke researchgroep die problemen onderzoekt in verband met de aangroei van de menselijke bevolking.

Voor- en nadelen van kinderen

De beslissing om kinderen te nemen is puur emotioneel. Gelukkig is dat zo. Stel je voor dat kinderen er komen uit berekening. Het zou een ramp zijn voor ouders die alleen maar teleurgesteld kunnen geraken en voor kinderen, die met een door hun ouders bepaalde functie beladen de wereld inkomen.

De beslissing om geen kinderen te nemen is dan weer veel rationeler. Daarmee willen we niet zeggen beter, want soms worden de beste beslissingen emotioneel genomen en dat ook kan de beslissing zijn om kindvrij het leven door te gaan.

Ongewild kinderloos zijn is iets wat je overkomt en heeft daarom een sterke emotionele impact op je leven, dat van je eventuele partner en jullie relatie.

Als we dan in dit hoofdstuk een nuchtere opsomming maken van de voor- en de nadelen van kinderen staat dat voor wat dit boek betreft los van elke emotionele beleving. Hopelijk zal niemand op basis van die lijstjes zijn of haar beslissing nemen. Toch is het nuttig om even de oefening te doen, al was het maar om toch even stil te staan bij de ernst van de beslissing om wel of geen kinderen te nemen. Het is waarschijnlijk de belangrijkste beslissing in je leven. Een lijstje met voor- en nadelen kan afstand creëren, maar uiteindelijk is er maar één criterium: ben je bereid om minstens de volgende twintig jaar nieuwe wezens een prominente plaats in je leven te laten spelen? Of ben je bereid je leven te leiden op een manier die niet gericht is op het opvoeden van een nageslacht?

Overigens is de lijst niet compleet. Sommige dingen in de opsomming zullen niet belangrijk voor je zijn terwijl je het gevoel hebt dat andere ontbreken. Als je er inderdaad nog bij kunt verzinnen (voor of tegen), is dat alleen maar mooi, want dat betekent dat je er grondig over nadenkt.

Voordelen van kinderen:

- Ze zijn lief.
- Je hebt je eigen pop van vlees en bloed
- Je genen worden verder gezet
- Je kinderen kunnen later voor je zorgen als je oud bent
- Je kinderen kunnen je bezoeken als je oud bent.
- Je krijgt liefde
- Een bloedband is sterker dan welke band dan ook
- Je schenkt je ouders kleinkinderen
- Het is gezellig
- Je ervaart het wonder van het leven.
- Je krijgt nieuwe impressies
- Kinderen zorgen voor jeugd en vernieuwing
- Kinderen houden je jong
- Je voelt je nuttig
- Je leert makkelijk andere mensen (met kinderen) kennen
- Er ontstaat een gezinsgevoel
- Je kunt nog eens lekker kinderactiviteiten (mee) doen
- Je hebt altijd een excuus om naar huis te gaan.

....
....
....
....
....

Nadelen van kinderen:

- Je hebt minder tijd voor jezelf
- Je oude sociale leven is voorbij
- Je hebt meer verantwoordelijkheid
- Je hebt minder vrijheid.
- Je kunt je kinderen niet kiezen
- Je tijdsschema staat in functie van je kinderen
- Dingen als emigreren en vakantie houden worden moeilijker
- Gejengel
- Hogere kosten
- Je moet activiteiten bestemd voor kinderen mee-doen (feestjes, Legoland, tv-programma's kijken, ...)
- Je werktijden zijn beperkt
- Planning wordt belangrijk

....

....

....

....

....

Een waardevol leven zonder kinderen

K ort door de bocht zou je kunnen zeggen dat wie kinderen heeft, genetisch bevrijd is van het waardevol maken van zijn of haar leven. Je hebt je van je historische taak gekweten door de soort in stand te houden. Natuurlijk werkt het niet op die manier, omdat vroeg of laat de vraag naar de eigen zingeving van het leven opnieuw begint te knagen.

Zonder kinderen voel je veel vroeger de noodzaak om je leven zin te geven, waarschijnlijk al van bij de bewuste beslissing kindvrij/kinderloos door het leven te gaan. Over de zin van het leven zijn al duizenden boeken geschreven en ze beschrijven alle theorieën van de meest nihilistische (er is helemaal geen zin) tot de meest religieuze (er is een God met een plan dat wij vervullen). Omdat we helemaal niet weten of er een God of een hiernamaals is -dat behoort tot de mysteries van het leven- kunnen we je geen garantie geven over welk advies we dan ook zouden geven en misschien is dat ook niet de taak van dit boek. Die beperkt zich tot het geven van advies over een goede invulling van een leven zonder kinderen.

Je moet het waardevol maken van je leven bij jezelf laten beginnen.

Als je er niet van uitgaat dat het doel van het leven is je DNA door te geven en de soort in stand te houden, dan word je automatisch op jezelf teruggeworpen. Je moet het waardevol maken van je leven bij jezelf laten beginnen. Hoe je dat dan verder invult is aan jou. Het kan zijn dat je nog steeds niet in een zin gelooft en dan zul je jezelf zoveel mogelijk proberen te amuseren. Maar het kan evengoed zijn dat je vanuit eenzelfde vertrekpunt besluit dat de zin van het leven ligt in het verlichten van het leed van je medemens.

Zelf stel ik me op het standpunt dat het leven zin krijgt door jezelf te ontwikkelen. Dan maakt het niet uit of je daar op esoterische wijze van maakt dat dit ook het doel is van het leven (wat impliceert dat er iets of iemand is die een bedoeling met ons heeft) of dat dit niets meer is dan de eigen zingeving die je eraan geeft. In het eerste geval heb je een vervulling van een hoger doel, intern of extern. Met een extern doel bedoel ik een god die uiteindelijk beoordeelt hoe je je leven geleid hebt, of je goed of slecht bent geweest, of je je talenten goed hebt benut.

Met een intern doel verwijs ik meer naar de theorieën die er in de basis vanuit gaan dat je je leven kiest als een basis om jezelf te verrijken. Je zoekt naar omstandigheden die je toelaten je ziel te verrijken. Je leeft dan een soort spel waarbij je het maximale moet halen uit je beginpositie. Voor de ene betekent dit dat hij moet omgaan met zijn status als bedelaar in de straten van Calcutta, voor de ander dat zij al het talent heeft om een popster te mogen zijn. Hoewel het op het eerste gezicht misschien niet zo lijkt, geven beide situaties hun eigen uitdagingen, waarbij de bedelaar kan slagen door bijvoorbeeld een goed mens te zijn, terwijl de popster ten onder gaat aan drugs en geweld. In dat geloof zoekt elke ziel, meestal in verschillende levens zijn eigen uitdagingen en zijn we alles al geweest of zullen we het nog worden.

Maar stel je voor dat er geen hoger doel is, dan heb je met diezelfde levenshouding toch ook een maximum aan voldoening. Ook dan kun je het leven als een spel zien, waar je met de jouw toebedeelde kwaliteiten het maximale uit kunt proberen te halen. Ook dan zul je gericht zijn op voortdurende vooruitgang en het leuke is dat iedereen voor zichzelf mag uitmaken wat hij of zij beschouwt als vooruitgang. Voor de een zal dat rijkdom zijn, voor de andere intellectuele ontwikkeling, of het bereiken van status, of het verhogen van je medemenselijkheid, de mate waarin je de wereld beter of mooier maakt, hoeveel mensen je kunt liefhebben of hun situatie verbeteren. De lijst is persoonlijk en onbeperkt.

De praktijk van een relatie zonder kinderen

Een relatie zonder kinderen is moeilijker, maar ook zuiverder en intenser dan een met kinderen. Moeilijker omdat je de al eerder in dit boek aangehaalde afleiding van kinderen niet hebt. Dat geldt zeker als je al kinderen hebt gehad, bijvoorbeeld als je kinderen het huis uit zijn of overleden, want dan word je opnieuw met elkaar geconfronteerd. In het laatste geval is het natuurlijk veel moeilijker omdat je ook nog met de verwerking van een trauma zit. Dat trauma kan jullie dichter bij elkaar brengen of uit elkaar drijven naargelang hoe jullie ermee omgaan. Dit is een bijzonder moeilijke en delicate materie die niet met enkele zinnen in een boek of een goed gesprek op te lossen valt. Je hebt het recht om je emotie ten volle te beleven, in alle verdriet, in al de blanke wreedheid van het leven. Als je daar door- en overheen kunt geraken, dan kan ook de ergste gebeurtenis zin krijgen. Een aanrader is om het eerder verschenen boek Handleiding bij het Leven* door te nemen om op die manier de zin van dit alles te ontdekken. Een belangrijk aspect daarin is ook hoe je het beste de overledene kunt eren door verder te gaan met je leven. Niet alsof er niets gebeurd is, maar net met alle ervaring die je hebt doorgemaakt en de verrijking die het leven en sterven van de ander voor je kan betekenen. De invloed van zulke gebeurtenissen op jullie relatie hangt af van de steun die je geeft en vindt bij elkaar. Die wederzijdsheid van de steun is van onnoemelijk belang, want jullie lijden allebei. Als je dat in het achterhoofd houdt, komt het goed. Verlies je die gedachte, dan is het moeilijk te herstellen. Van zodra je de ander iets begint te verwijten, is het afgelopen en zal het nooit meer goed komen. Want

* ISBN 9789085103592, House of Knowledge

op het moment van de grootste kwetsbaarheid, mag je niet nog meer geraakt worden, zeker niet door je partner.

Maar terug naar de situatie van elke relatie zonder kinderen. Die relatie is uiteindelijk zuiverder en intenser omdat ze draait om de relatie tussen twee mensen zelf. Ik ga er maar even voor het gemak van uit dat jullie niet samenblijven omwille van de hond of van het huis. Als dat wel zo is, kan dit een oproep zijn en een kans om terug te keren naar de kern van je relatie. Het is een ideale gelegenheid om wel of opnieuw een waardevolle band op te bouwen die gebaseerd is op liefde. Een relatie waar je beiden meer uit put dan je erin steekt. Wiskundig lijkt dat niet te kloppen, maar relationeel kan dit gemakkelijk, maar het komt niet vanzelf en het zal ook niet vanzelf in stand blijven. Elk systeem waar geen energie in gestoken wordt, brokkelt af. Dat is zo voor een gebouw, voor een vereniging, een stad en het is niet anders voor een relatie. In de wetenschap noemen ze dat de wet van de entropie (de tweede wet van de thermodynamica). Wil je dus je relatie in stand houden of verbeteren dan zul je er werk van moeten maken. Het niet hebben van kinderen is daarbij een nadeel en een voordeel. Een nadeel omdat je geen extern bindmiddel hebt, een voordeel omdat je het puur om jezelf, de ander en jullie beiden gaat.

Dat nadeel zou echter wel eens je grootste voordeel kunnen blijken. Want het is wel heel duidelijk dat een scheiding veel pijnlijker verloopt als er kinderen in het spel zijn. En dat kinderen geen garantie vormen voor een blijvende relatie wijst de praktijk uit waarbij 34% van de relaties met kinderen strandt. Je vermijdt dus heel wat ellende door geen kinderen te hebben. Niet dat ik wil dat dit je grootste motivatie vormt om geen kinderen te nemen, want dan doe je

Als je geen kinderen hebt, is het veel makkelijker om een nieuwe relatie aan te gaan.

het uit angst en dat is nooit goed. Je vindt pas rust als je dingen doet uit vertrouwen. Overigens zou ik de mensen niet de kost willen geven die kinderen nemen uit angst, bijvoorbeeld omdat ze anders denken hun partner kwijt te geraken. Dat is nog veel erger, want dan ga je kinderen gebruiken als een instrument om je relatie te redden. Die tragiek wens ik niemand, ouders noch kinderen, toe.

Bijkomend voordeel: als je geen kinderen hebt, is het veel makkelijker om een nieuwe relatie aan te gaan. Een nieuwe partner krijgt er toch een complexer pakje bij als daar een of meerdere kinderen bij horen. Dat zo'n nieuwe relatie complex is, blijkt wel uit de betrokken factoren. Genetisch gezien heeft elke soort het moeilijk met het energie stoppen in vreemd DNA. Ik begrijp dat dit niet erg romantisch klinkt, maar de evolutietheorie staat bol van dit soort voorbeelden. Ondanks al onze beschaving is dit toch een grondtoon waar we rekening mee moeten houden. De relatie met een nieuwe partner is er ondanks de kinderen en niet dankzij. Bovendien is er een bijkomend criterium waarop de nieuwe partner wordt beoordeeld: hij moet een goede stiefvader zijn of een goede stiefmoeder.

Sociaal zijn kinderen uit een vorige relatie ook bijzonder ingrijpend. De nieuwe partner heeft niet de gelegenheid gehad om te groeien in het hebben van die specifieke kinderen. Hij of zij heeft een heel deel van de vorming, de opvoeding en de fysiologische groei en de psychologische ontwikkeling gemist. Het vergt bijzonder veel van een mens om die vliegende start zonder kleerscheuren door te komen en de basis die voor hen gelegd is te accepteren. Niet iedereen is het eens over de verschillende manieren om iemand op te voeden en waar haal jij plots het gezag vandaan om de tot dan toe gevolgde methode te veranderen? Dit alles nog los van de (gezamenlijke) geschiedenis die je mist en waar de ander op kan steunen of van welk gebrek een misnoegde puber

74

gebruik kan maken in conflictsituaties.

Daarnaast zit ook je nieuwe partner in een oncomfortabele positie. Of je nu gescheiden bent of je vorige partner overleden is, je komt met je kind of kinderen uit een situatie waarbij jullie voornamelijk elkaar hadden. Dat schept hoe dan ook een band die bovenop de familieband komt. Dat is fantastisch, maar hoe kan een nieuwe partner hier een volwaardige plaats in verwerven? Het kind zal op zijn minst de liefde en aandacht van zijn ouder moeten delen met een nieuwe partij. De (kandidaat)-partner zal er vanaf het begin rekening mee moeten houden dat hij of zij slechts een tweederangsrol zal moeten spelen. Dat hij -om het cru te zeggen- ondergeschikt zal blijven aan iemand die zijn of haar DNA niet draagt. Daardoor komen bewust en onbewust onbehagen op een lijn en dat is een bijzondere moeilijke uitgangspositie om een volle relatie uit te bouwen.

Die vrijheid om een nieuwe relatie aan te gaan zonder kinderen mag je dan ook niet onderwaarderen omdat ook die een onderdeel uitmaakt van je mogelijkheden om je leven ten volle te beleven en een compensatie kan betekenen voor een eventueel gemis aan kroost. In theorie kun je het probleem negeren en toedekken met wat loze kreten. Gooi de problematiek maar eens op in een gesprek en je zult zien wat de reactie is. De meest voorspelbare zijn:

'Als iemand me graag ziet, moet die de kinderen er maar bij nemen'. Of nog: 'Ja, maar die kinderen horen bij mijzelf, dus iemand die mijn kinderen niet graag ziet, kan ook niet voor mij kiezen.' Of de ergste: 'Mijn kinderen komen altijd op de eerste plaats, daar moet die ander maar aan wennen.' Het is niet aan mij om iemands prioriteiten te bepalen voor zover iemand daar de consequentie van aanvaardt, bijvoorbeeld dat iemand in een nieuwe relatie niet zit te wachten op een tweederangsrol. Even beangstigend vind ik het overigens als iemand de kinderen ondergeschikt maakt aan een relatie. Je hebt nu eenmaal gekozen

Ik hoop niet dat je dan zegt: 'dan heb ik tenminste de kinderen nog'.

voor de verantwoordelijkheid van kinderen. En dat brengt ons opnieuw bij de grote beslissing die het nemen van kinderen is. Het is minstens zo weinig romantisch als een huwelijkscontract, maar nadenken over wat er gebeurt met jezelf en je kinderen als het misloopt is een van de belangrijkste dingen die je kunt en zou moeten doen. Ik hoop niet dat je dan zegt: 'dan heb ik tenminste de kinderen nog'. Want kinderen gebruiken als persoonlijke reddingsboei lijkt me zowat de slechtst denkbare en meest egoïstische motivatie die er is. Dat betekent ook niet dat kindvrij door het leven gaan voor iedereen de beste optie is. Het enige wat ik wil benadrukken is dat de keuze vaak bewuster moet gebeuren, in plaats van dat het je overkomt als automatisme[4]. Noch een relatie met kinderen als een zonder zou gebaseerd mogen zijn op angst, op wat je niet wilt, maar heel bewust op wat je wel wenst. Volgens -steeds vaker opduikende- resultaten van studies[5] zijn ouders en kinderloze koppels gemiddeld even gelukkig. Jonge kinderen zorgen echter vaak voor een dip in het relatiegeluk, vanwege de vele, vermoeiende taken van het ouder- schap. Soms duurt het jaren voor die dip uitgevlakt wordt.

De vrijheid die je hebt om je relatie op de eigen waarde te schatten en niet in functie van de kinderen is onbetaalbaar omdat ze je telkens opnieuw dwingt te werken aan de kwaliteit van je eigen leven en rela- ties. Daarbij is het eventuele verwijt van mensen die wel kinderen hebben dat het wel heel gemakkelijk is op die manier, onterecht, maar hij heeft wel enige grond. Het is een terechte hint. Ik geloof niet dat het je geluk verhoogt om bij elke hapering in de relatie

[4] Zie ook bij dezelfde uitgeverij: Samen Gelukkig Met Kinderen
[5] Een recente Britse studie, onder leiding van Professor Nattavudh Powdthavee, toonde aan dat ouders en kinderloze mensen even tevreden zijn over hun leven.

die op het spel te zetten of te verbreken. Een zekere traagheid of weerstand kan geen kwaad. Denk erom dat je als kinderloos paar niet die rem hebt van de kinderen. Om dan alle remmen los te laten, is niet noodzakelijk het beste idee voor een consistent geluk. Zoals ik al gezegd heb, betekent een relatie ook eraan werken. Het gezamenlijk overwinnen van moeilijke momenten en mindere tijden smeedt een band die intenser is. Veel mensen ervaren die verdieping als een wezenlijke bijdrage tot hun geluksbeleving.

Zijn mensen zonder kinderen eenzaam en zielig?

Vanavond zijn m'n vriendinnen met hun gedachten echt niet bij de zaak. Bij Els heeft het allicht iets met drinken op een nuchtere maag te maken. Wat Julie dwars zit, weet ik niet. Nog niet!

Deze avond moet dringend gekickstart worden. Op een of andere manier overkomen mij enkel leuke dingen dus ook dit kan niet fout gaan. Ik kijk op mijn horloge, half 8. Het zal niet lang meer duren tot de *kroeg volloopt en er een paar bekenden binnenvallen. Tot het zover is, probeer ik hun sombere stemming te verlichten met een goed gesprek.*

'Els? Julie? Denken jullie dat er leven is na de dood?'
'Huh? Wat?'
Beide meisjes staren me aan. Rond ons vult de ruimte zich met flarden van zinnen en getinkel van glazen, het is donderdagavond.
'Want als dat niet zo is, dan is het tijd voor een portie doelloos en zinloos entertainment!'
Met m'n hoofd knik ik in de richting van drie jongemannen die ondertussen plaats hebben genomen aan de toog en pseudo nonchalant rondkijken of er die avond nog wat te versieren valt. Een van hen probeert m'n blik te vangen, blijkbaar hebben ze onder elkaar de 'buit' al verdeeld. Dit wordt lachen.
Julie schuift ongemakkelijk op haar stoel heen en weer.
'Heb je een excuus nodig, Julie?' probeer ik. 'Het is toch de eerste keer niet dat jij je laat trakteren. Al wat je in ruil hoeft te doen, is te lachen met hun grappen.'
Julie kijkt alsof ze net een goudvis ingeslikt heeft.
Els en ik kijken elkaar aan, kijken dan naar Julie, opnieuw naar elkaar en barsten in lachen uit, Julie bloost.
'Ja, sorry, ik zit met wat zorgen thuis, ik ben niet in

de mood, sorry dat ik jullie avond verknal,' zegt ze.

Als je elkaar wat langer kent, dan weet je wanneer je op de rem moet staan en wanneer plankgas het betere idee is. Even denk ik aan die scene uit 'Thelma & Louise', op het einde van de film geven de meiden plankgas. Recht het ravijn in.

'Julie, jij beslist,' zeg ik. 'Ofwel feesten we, ofwel praten we, jij mag kiezen.'

Julie kijkt me zwijgend aan, zij weet dat ik weet wat zij bedoelt met 'zorgen thuis': twee opgroeiende kinderen, een man die 14 uur per dag voor z'n werk op de baan is en zelf een carriere-met-lood-in-de-vleugels.

Julie heeft niet zoveel geluk: haar achtienjarige dochter is verliefd op een jonge moslim, sinds kort draagt het meisje zelfs een hoofddoek. Het maakt niet uit wat zij en haar man zeggen of doen, het lijkt of ze alle invloed op hun dochter hebben verloren. 'Ach' zegt ze 'jullie weten wat me dwarszit. Patrick en ik hebben besloten om ons erbij neer te leggen. Ze is oud genoeg nu. Ze kan steeds bij ons terecht, maar als we ons nog veel langer verzetten tegen deze relatie, zouden we haar wel eens kunnen kwijtraken, dat willen we echt niet. Kom, het volgende rondje is voor mij!' En ik zie de pretlichtjes in haar ogen als vanouds twinkelen.

De jongemannen zijn haar echter voor. De ober zet een ijsemmer met een fles cava en 3 glazen voor ons

neer. *'Met de complimenten van de 3 heren daar.'*
Knipoogt hij.

Is het toeval dat m'n twee beste vriendinnen kinderen hebben? Uiteraard, een sterk toeval, vermits ik overtuigd kindvrij ben, maar het is wel opvallend dat ze beiden erg jong aan kinderen zijn begonnen.

Bij Els leidde de stress van een jong huwelijk tot de scheiding, en de scheiding was een mooi (lees: lelijk) voorbeeld van hoe twee ouders vechten om wat ze het liefst zien in de wereld. Daarna duurde het tien jaar, tot ze Moulay ontmoette, een jonge Marokkaan, die zo verliefd op haar werd dat ze niet anders kon dan ook verliefd worden, opnieuw trouwen, om nu samen met hem twee baby's te delen, meer dan tien jaar jonger dan haar oudste dochter.

Zowel Els als Julie zijn leuke en goede moeders. Het mag een mirakel heten dat ik niet aangestoken ben door het virus, met twee zulke fantastische voorbeelden.

Wel heb ik het vaak boeiend gevonden om te praten met m'n vriendinnen over het grote waarom? 'Waarom een kind?'

Een kind is een keuze voor het leven. Het is zowat de meest definitieve keuze die je in je leven maakt. Immers, vriendschappen, woonplaatsen, werk, zelfs relaties, ze komen en ze gaan. Van zowel Els als Julie weet ik dat ze nooit een seconde spijt hadden van die beslissing, integendeel, want ze vinden steun, warmte en liefde bij hun kinderen. Wellicht omdat het zo'n fantastische moeders zijn, krijgen ze evenveel als ze geven.

Wel of geen kinderen. We respecteren elkaar in onze beslissing.

Het aangename aan onze vriendschap is dat geen van ons de anders keuze ooit veroordeeld heeft: wel of geen kinderen. We respecteren elkaar in onze beslissing en we hebben er boeiende gesprekken over, waarin niemand zich moet verdedigen en niemand zich aangevallen voelt. Er is wederzijds begrip voor ieders situatie.

Els en Julie voelen zich geen superieur wezen omdat zij het gedurfd hebben, omdat hun kinderen gezond en snugger zijn, terwijl ik door hen niet gebrandmerkt sta als egoïstisch of gemakzuchtig.

Vanuit dat vertrekpunt gooit een van ons af en toe wel eens een stelling in de groep, omdat het gegarandeerd voor ambiance zorgt. Laatst vroeg ik hen of zij, als moeders, een stel zonder kinderen zouden durven bestempelen als 'zielig', of nog erger: 'ongelukkig'.

Uiteraard is het antwoord dat het ene niets te maken heeft met het andere. Het zou een erg simplistische redenering zijn om kinderen en geluk aan elkaar te koppelen, je kunt gelukkig zijn met kinderen en je kunt heel gelukkig zijn zonder kinderen. Of omgekeerd.

Het klassieke gezin spreekt niet iedereen tot de verbeelding, voor velen hangt er een ketting met een zware metalen bol aan vast. Dat aura van 'levenslang' hangt ook over kinderen, want je hebt hun lot zelden of nooit in handen. Rond een relatie is er een sfeer van romantiek, terwijl wat mij betreft rond het krijgen en opvoeden van kinderen teveel onzekerheid is.

De harde realiteit is dat een op de vijf ouders nu kinderen krijgt met meerdere partners: wellicht loopt het met alle betrokkenen prima af, maar mij lijkt het onnodig ingewikkeld. Hoop is een mooi ding, maar de werkelijkheid rond het gezin zegt dat geluk iets is dat steeds moeilijker te definiëren is. Steeds minder huwelijken, steeds meer scheidingen, steeds meer samengestelde huishoudens. Wie ben ik dan als ik zeg: zorg dat je partner en jij het goed hebben. Doe gewoon, dat is al moeilijk genoeg.

Kan ik het helpen dat mijn biologische klok stuk is... af en toe krijgen we een middag de twee neefjes van m'n man over de vloer, hij speelt graag spelletjes en dat is dus altijd een leuke dag. En elke keer opnieuw zijn we blij als we 's avonds het huis weer voor ons hebben. Wij hebben een hartstikke leuk leven samen en we missen het niet, die dimensie. Mijn man en ik hebben nooit een kinderwens gehad. Pas op, ik houd van kinderen en kinderen houden van mij en in een kamer vol mensen zullen kinderen vaak op me afkomen voor een praatje. Een mysterie dat voorlopig onopgelost blijft, misschien is het gewoon omdat ik lekker ruik? Ik denk dat kinderen het volmaakte tegengif zijn voor zelfvoldaanheid, tenminste als de kinderen lang genoeg kind kunnen blijven, wat steeds minder evident is. Zelf kom ik zelden een kind tegen dat niet goed in z'n vel zit. Dan denk ik: 'Het komt wel goed met deze planeet.'

Uitzondering is het scenario waarin een koppel gedwongen kinderloos is. Els en Julie bevestigden dat het soms niet gemakkelijk is in het gezelschap van mensen die geen kinderen kunnen krijgen maar ze heel erg wensen. Een reflex is dan vaak om de nadelen van kinderen te benadrukken. Wat het geluk van de gesprekspartner heus niet vergroot, maar het is wel een begrijpelijke reactie.

Een andere manier om het te bekijken: hebben mensen kinderen om hun geluk te vergroten? Sommige mensen beginnen er naar het schijnt aan omdat ze pas gelukkig zijn als ze een kind hebben, alsof het kind in hun plaats leeft, ze cijferen zich volledig weg en voelen plaatsvervangend geluk onder het motto: 'Mijn kind zal beter ... dan ik.' Beter tennissen, een betere job vinden, een beter huwelijk sluiten, kortom, gelukkiger zijn?

Net zomin als deze mensen bestempeld mogen worden als 'zielig' mag dat gebeuren met koppels zonder kinderen, wat de reden ook is. Geluk vind je in jezelf. In een gezin met een goede partner en twee toffe kinderen kun je je nog eenzaam voelen. Anderzijds, zelfs als je helemaal alleen bent, ergens op een heuveltop in de natuur, kun je het gelukkigste mens zijn op aarde.

"In a dark moment I ask, How can anyone bring a child into this world? And the answer rings clear, Because there is no other world, and because the child has no other way into it."
-Robert Brault, www.robertbrault.com

"I brought children into this dark world because it needed the light that only a child can bring."
-Liz Armbruster

Ik vrees dat de verwachtingen van mensen die kinderen willen soms te hoog gespannen zijn. Verwachten zij iets van dat kind dat het nooit zal kunnen waarmaken? Als je een quote leest zoals deze hiernaast, dan is m'n vrees terecht. Het mag nog zo goed bedoeld zijn, maar dan denk ik: zijn het deze mensen die oordelen over stellen zonder kinderen en hen zielig noemen?

Een conclusie die ik voor mezelf maakte, is dat je nooit te snel mag oordelen over anderen en de mate van hun geluk, alleen of in een stel, met, of zonder kinderen. Iedereen heeft z'n redenen voor zijn gemaakte keuzes en het is niet aan een buitenstaander om die af te keuren dan wel goed te keuren.

Een andere conclusie die ik maakte is dat je er bijna altijd fout aan doet om te vergelijken, een relatie met kinderen en een relatie zonder kinderen. Er zijn honderden redenen om kinderen dan wel geen kinderen te hebben, zowat elk koppel heeft een eigen verhaal, en ik zal dus nooit (meer) oordelen voor ik meer weet.

Over mij wordt nu minder vaak en minder snel geoordeeld: tien jaar geleden kreeg ik vaker een negatief of toch aarzelende reactie op mijn antwoord op de vraag waarom ik geen kinderen heb. 'Waarom wel?' Tijden evolueren.

Wat volgens mij fout is, is er niet over praten. Voor je de beslissing neemt als koppel, in deze of gene

richting, moet er lang en veel gepraat worden. Zelfs nadat de beslissing genomen werd, of erger: aan je opgedrongen werd, zoals wanneer het krijgen van kinderen niet mogelijk is, moet er gepraat worden, zowel in het koppel als met vrienden als zelfs met vreemden.

Mijn man en ik zaten al na enkele maanden in onze relatie op dezelfde golflengte: onze manier van leven is er geen om kinderen in op te voeden. Onze vriendenkring moest aan de idee wennen, dus eigenlijk

Denk goed na voor je een keuze maakt, 'kids or no kids', want eens ze er zijn, is er geen weg meer terug.

hebben we hen opgevoed, in plaats van onze kinderen. Een opmerking die we wel eens hoorden: 'Kinderen zouden het slechter kunnen treffen dan in een huishouden zoals dat van jullie.' Vriendelijk bedoeld, maar heus geen waardemeter, want van buiten zie je heus niet hoe het er in een koppel soms aan toegaat. Bovendien, ons huishouden zou nooit hetzelfde zijn als er kinderen aan de mix toegevoegd zouden worden. Dus, oordeel niet te snel, zelfs al is het een compliment.

Nog een tip: informeer je, praat er met zoveel mogelijk mensen over doch vorm je eigen mening en laat je niet teveel beïnvloeden. Net zoals anderen niet in de positie zijn om jouw situatie in te schatten – kunnen ze gedachten lezen misschien? – zo moet elk advies gewikt en gewogen worden, want het wordt gegeven vanuit een persoonlijkheid, een opvoeding, een heel leven. Daarom is het belangrijk om lang na te denken voor je een keuze maakt, 'kids or no kids', want eens ze er zijn, is er geen weg meer terug.

Op het internet kun je duizenden verhalen vinden, steeds vaker ook van oudere mensen, die vertellen over de druk die er vroeger was om kinderen te krijgen. Voor elke reactie die vertelt over het geluk dat je voelt als je de liefde van jouw kind aan de lijve ondervindt zijn er meerdere reacties zoals deze:

'Kinderen heb ik nooit kunnen zien als een levensverzekering. Wie garandeert er dat ze voor je klaar staan als je oud en misschien hulpbehoevend bent?'

'Van het geld dat mijn niet geboren kind in de kroeg voor een biertje zou uitgeven, kan ik tien kinderen in Bangladesh een dag voeden.'

'In mijn omgeving zie ik vaak oudere mensen eenzaam zijn terwijl ze kinderen hebben.'

'Veel mensen die kinderen hebben, en deze vervolgens verwaarlozen of mishandelen: dat is pas echt egoïsme. Dat gebeurt naar mijn smaak maar al te vaak.'

'Dat er mensen zijn die bewust geen kinderen willen, dat is toch HUN keuze? Je kunt overal wel een probleem van maken.'

Is een leven zonder kinderen zinvol? Voor mij is dat doodeenvoudig een vreemde vraag, maar mensen die kinderen willen, zullen over het antwoord twijfelen. Dan mag ik dat gek vinden, die twijfels over de zin van het leven als er geen kinderen zijn, maar wie ben ik? De uitdaging voor een koppel dat geen kinderen kan krijgen, is om de leegte op te vullen: werk, hobby's, vrienden, vakantie. Zielig zou zijn om op te geven, om de kop te laten hangen. Bovendien denk ik dat mensen die heel graag kinderen willen zich er wel eens op verkijken, omdat ze romantische idealen hebben. Er zijn heel wat kinderen die eens het huis uit, weinig contact hebben met hun ouders, of emigreren naar een ver land. Je zal er als ouder maar het doel van je leven van gemaakt hebben.

De tijden zijn voorbij dat kinderen voor hun ouders zorgen. Wie nu als ouder klaagt dat hij of zij zich eenzaam of zielig voelt, heeft dat misschien wel een beetje aan zichzelf te danken. Sta vol in het leven, ga er helemaal voor en je zult gelukkig zijn, met of zonder kinderen.

Vaak genoeg hoor ik in m'n vriendenkring het verhaal dat een relatie slecht afliep, juist omdat er kinderen kwamen. Stel je voor dat je zelf niet helemaal overtuigd bent van kinderen, je volgt jouw partner in zijn of haar keuze, jullie gaan er beiden helemaal voor en dan gooit de kleine met z'n komst de hele boel op z'n kop. De fundamenten worden aangetast, aangepast en vervolgens helemaal veranderd. De vrouw doet meer dan de man, heeft het gevoel dat zij teveel doet, de partners groeien uit elkaar en plots is de relatie voorbij. Het kind is niet de reden, want geboren uit liefde, maar het is wel de oorzaak. Dan klinkt plots: ouders met kinderen zijn eenzaam en zielig, want ze staan beiden alleen en het kind is de dupe. Iedereen kent die verhalen wel.

Van sommige mensen vraag je je toch af: waarom zijn zij ouders geworden? Baby's worden in vieze luiers 's morgens in de crèche afgeleverd en 's avonds vergeten sommige 'ouders' om hun kindje weer op te halen. Let wel, ik bewonder ouders die bewust voor kinderen kozen en die alles opzij zetten om de kinderen zelf op te voeden. Die kinderen geef ik alle kansen van de wereld.

Slotsom: zorg voor jezelf, dan maak je het anderen gemakkelijk om voor jou te zorgen. Kwaliteitstijd voor jezelf, voor je partner en voor de familie (als er dan toch een kind komt). Niemand is alleen ouder, iedereen is eerst een man of een vrouw.

'Het was veel te lang geleden dat ik nog eens 100% tijd maakte voor mijn vrouw.'

Peter (59)

'Brigitte en ik hebben nu nauwelijks nog last van het lege nest,' vertelt Peter. De twee kinderen van Peter en z'n vrouw Brigitte (54) zijn sinds de zomer van 2008 het huis uit. Johan (20) ging op kamers bij een universiteit, en dochter

Katlijn (19) woont bij haar vriend. Brigitte en Peter zelf betrokken een jaar geleden een huis in een trendy nieuwbouwwijk.

'Het 'lege nest'-fenomeen is toch eigenlijk niet meer van deze tijd? Volgens mij kwam het vroeger vaker voor dat de man en de vrouw in een donker gat vielen, zodra de kinderen aan hun eigen leven begonnen. Mensen hebben nu zoveel kansen op een nieuwe start, met elkaar, ook op onze leeftijd. Je kunt je vandaag de dag echt niet meer vervelen. Voor deze nieuwe fase in ons leven zitten wij boordevol energie.'

'Toen onze kinderen vertrokken, was dat het einde van dat tijdperk. En het heeft me een beetje overvallen, dat moet ik wel toegeven. Van Johan wisten we dat hij op kamers zou gaan. Vorige zomer gaf Katlijn dan plots mee dat zij ook haar beslissing genomen had, en zou gaan verhuizen. Wij liepen toen nog op de tast in ons grote, nieuwe huis. Ineens zijn je twee kinderen weg... Ik herinner me dat de dagen toen wekenlang letterlijk én figuurlijk korter en kouder werden.'

'Brigitte en ik vonden het gezinnetje altijd heel belangrijk. Als boekhouder hadden de dagelijkse kolommen en cijfers voor mij op één of andere manier meer betekenis dankzij onze familie, zelfs al zagen we elkaar slechts enkele minuten elke dag. De zin van het gezin... Ik vrees dat ik te lang en te hard gewerkt heb, met telkens veel thuiswerk in het weekend.'

'Het internet heeft mij vorig jaar geholpen. Ik zocht informatie over al die hype-terminologie, zoals de 'mid life crisis', en het 'lege nest syndroom'. De zoekmotoren hebben het werk voor me gedaan. Dokter Google als het ware. Blijkt namelijk dat vrouwen ook een 'mid life crisis' kunnen krijgen, net als mannen. En mannen kunnen ook last hebben van een leeg nest, net als vrouwen! (lacht)'

"Life begins at 54 and at 59"

'Eerlijk is eerlijk, het heeft een aantal weken geduurd voor Brigitte en ik doorhadden dat ons lege huis werkelijk een oplossing was voor ons, vermomd als probleem. En toen zijn we in actie gekomen. Het beeld dat ik voor ogen houd, is dat van het loslaten van twee vogels. Als je die loslaat, dan heb je uiteraard je twee handen vrij.'

'Na het vertrek van de kinderen hebben Brigitte en ik onze handen vrij gemaakt. Ikzelf heb partners aangetrokken in mijn bedrijfje, jonge mensen waarin ik mezelf herken, maar dan vijfentwintig jaar geleden.

Vandaag werk ik **part-time**. Ook Brigitte heeft dertig jaar lang hard gewerkt. Ieder van ons had de vrijheid om op professioneel vlak zijn zin te doen, en zij heeft twee kledingzaken uitgebouwd. Het zal wel geen toeval zijn dat zij die te koop heeft gezet toen de kinderen vertrokken waren en ik **part-time** begon te werken. "Life begins at 54 and at 59", zo blijkt.'

'Nu, met m'n beide handen vrij en m'n kop bijna leeg van de cijfers, zijn er heel wat verantwoordelijkheden van me afgevallen. Het huis is afbetaald, het bedrijf floreert, zelfs zonder mij. De kinderen vinden hun draai, en Brigitte vraagt niets liever dan samen leuke dingen doen. Enkele weken geleden kocht ik een mooie, gerenoveerde Zündapp motorfiets met zijspan. Brigitte en ik maakten al enkele uitstapjes. Jaja, op een motor. Dus toch een 'mid life crisis'! (lacht)

'Mijn kinderen noemden me vroeger soms al een macho. Nochtans doet mijn firmaatje gewoon de boekhouding voor bedrijven. Dat is niet echt een machojob. Maar ik begreep hen wel, ik liep altijd rond in een driedelig pak, met een BMW 7-serie voor de deur. Terwijl ik eigenlijk het liefst naar het werk fietste. Maar dan was ik ongerust dat de klanten me zagen. (lacht)'

'Nu de kinderen hun vleugels uitgeslagen hebben, groeien Brigitte en ik opnieuw naar elkaar toe. Alles wat we doen, is zonder stress. Samen gaan shoppen in Maasmechelen Village, ik zou er vroeger mee gelachen hebben. Nu stel ik het zelf voor. Vroeger had ik twee gsm's, zodat ik altijd bereikbaar was voor de klanten. Nu heb ik er één, zoals de normale mensen, en die gaat uit als ik met Brigitte ben, of thuis.'

'Als wij afspreken met Johan en Katlijn, dan rijden Birgitte en ik naar hen toe. Dan zien we hen meteen voor een paar uur. Toen ze nog thuis woonden, zagen we elkaar vaker, maar dan voor een paar minuten, als ze binnen- of buitenkwamen, of bij het ontbijt op zondag. Het contact met de beide kinderen is er op vooruitgegaan. Het feit dat Brigitte en ik meer relaxed zijn, zit daar wellicht ook voor iets tussen.'

'Uiteraard deden Brigitte en ik altijd al dingen samen, we gingen bijvoorbeeld regelmatig en lekker uit eten. Toegegeven, dat was dan vaak op uitnodiging van klanten, en dus veel te weinig gewoon onder ons twee. De voorbije twee jaar zijn mijn ogen echt open gegaan. Het was doodeenvoudig veel te lang geleden dat ik nog eens 100% tijd maakte voor mijn vrouw.'

'Brigitte is ruim vijf jaar jonger dan ik, en wij zijn beiden in perfecte gezondheid. In de grootste van de twee vrijgekomen kamers hebben we een bescheiden fitnesskamer geïnstalleerd, ook met de hulp van Google en Ebay. Elke ochtend fiets ik een half uurtje

op de rollen en staat Brigitte op de step. Zodra het
weer het toelaat, haal ik m'n oude koersfiets boven,
en Brigitte kocht zich er ook één, een citybike.'

Hoe ga je om met twijfels omtrent een kinderwens?

Het niet hebben van kinderen is geen doel op zich, alleen zou het geen automatisme mogen zijn en het is al zeker geen noodzakelijke voorwaarde om een gelukkig en vervullend leven te hebben.

Dat betekent ook dat het regelmatig kan voorkomen dat jij of je partner toch begint te twijfelen over kinderen. Daar is niets mis mee en het is ook geen schande dat, als je je jarenlang verzet hebt tegen kinderen, uiteindelijk toch overstag gaat. Realiseer je wel dat het een onherroepelijke beslissing is. Er bestaat niet zoiets als een testzwangerschap of een testkind. Je kunt het kind niet terugbrengen als het je niet bevalt. Dat bedoelen we op twee niveaus. Het kan zijn dat het leven met kinderen in het algemeen je niet bevalt. Een derde van de mensen met kinderen denkt er zo over. In dat geval hang je er toch minimaal 18 jaar intensief aan vast. De vergelijking is natuurlijk krom, maar je moet in ons land al een behoorlijk zwaar misdrijf hebben gepleegd om tot 18 jaar beperking van je vrijheid te worden veroordeeld. Natuurlijk betekent het hebben van kinderen niet voortdurend ellende, maar je wereld wordt er toch door bepaald.

Het tweede niveau is dat je kind je niet bevalt. Dat kan. Laten we het daarbij niet hebben over uiterlijk, liefst niet en gelukkig is er de prachtige afwijking van de natuur die ervoor zorgt dat iedereen zijn eigen kind het mooiste ter wereld vindt.

Wat betreft het gedrag, geloof ik er sterk in dat dit in het overgrote gedeelte van de gevallen een gevolg is van de opvoeding, een taak waar bijna niemand van de ouders een adequate opleiding toe heeft gevolgd. Het gevolg kennen we. Vervelende kinderen en jongeren die van het rechte pad afwijken, komen zo vaak voor dat we denken dat het wel genetisch bepaald moet zijn, een ziekte of de schuld van de maatschappij of de directe omgeving. Meestal komt het wel goed, maar de schade aan de omgeving als het misgaat, is enorm.

Hoe dan ook, je hebt de verantwoordelijkheid op je genomen en je zult de rit uitzitten. Dat dit niet vanzelfsprekend is, blijkt wel uit de vele ouders voor wie de belasting te zwaar wordt en die verzeilen in een depressie, hun gezin verlaten of in extreme gevallen zelfs de helaas al te gekende familiedrama's ontketenen. Stuk voor stuk situaties waarin de betrokkenen extreme maatregelen nemen om uit hun situatie te kunnen komen.

Maar goed, stel je voor dat je toch gaat twijfelen aan je kindvrij bestaan. Het volstaat dat een van jullie beiden door twijfel worden overvallen. Daarnaast ben je wel met twee om die beslissing te nemen. Dat geeft een extra dimensie aan het probleem. Als je allebei twijfelt, is het al niet echt eenvoudig al was het maar dat je misschien twijfelt om verschillende redenen. Zelfs als je allebei zeker lijkt te zijn , kun je van tijd tot tijd overvallen worden door twijfel. Niet de twijfel aan je eigen beslissing, maar wel zal je regelmatig de vraag voelen insluipen of de ander wel zo zeker is van zijn of haar stuk. Een aai over het hoofdje van een kind of het bezoek van je lieve neefje kan al voldoende

Omdat de kinderbeslissing zo fundamenteel is, kan die twijfel knagen aan de relatie en zelfs leiden tot een definitieve breuk.

zijn om twijfel te doen ontstaan over de zekerheid van de ander. En wat als een van beiden effectief begint te twijfelen? Omdat de kinderbeslissing zo fundamenteel is, kan die twijfel knagen aan de relatie en zelfs leiden tot een definitieve breuk.

De oplossing in al die gevallen is praten, praten en nog eens praten. Zelfs al lijkt het soms overdreven bezorgd, al ben je bang dat je slapende honden wakker maakt, zelfs al denk je dat de ander er vreemd op zal reageren, er is geen andere weg. Alleen door het onderwerp regelmatig op tafel te leggen, niet alleen bij tekenen van twijfel bij jezelf, maar ook bij die bij de ander en zelfs als er niets aan de hand is. Bekijk het onderwerp in zo'n gesprek open en zonder waardeoordeel. Op het moment dat je weer allebei zeker bent van je keuze om kindvrij je relatie te beleven, tel dan je zegeningen en geniet optimaal.

Voor mensen die wel een kinderwens hebben, maar door een medische oorzaak kinderloos blijven, moet het voorgaande pijnlijk zijn om te lezen. Zij, jullie, is die keuze voor wel of geen kinderen ontnomen

door een toeval. Ik begrijp dat het dan niet altijd prettig is te moeten lezen over mensen bij wie twijfel het
grootste probleem lijkt. Het drukt je op de onrecht-
vaardigheid van het leven. Aan jullie vraag ik het bijna
onmogelijke: je los te maken van wat jullie situatie is
en te begrijpen dat niet hoeven te kiezen ook een
zegen kan zijn, al is die zegen behoorlijk goed
vermomd. Toch moet je het proberen en vanuit die
situatie staat de poort tot geluk wijd voor je open.
Pas als je je los kunt maken van je tegenslag en het
ideaalbeeld dat je voor ogen had, pas dan zul je geluk
kunnen omarmen. Dan moet je ook voluit gaan voor
de mogelijkheden die de kindvrijheid van je relatie en
je leven je bieden.

Geef elkaar de ruimte

Als je een relatie hebt zonder de afleiding van kinderen, kan dat behoorlijk intens zijn. De eerste tijd is dat
meestal geen probleem omdat je elkaar nog moet en
kunt ontdekken. Je hebt elkaar een heel leven te vertellen en je kunt niet genoeg van elkaar krijgen. Na
een tijdje begin je elkaars hebbelijkheden en leukere
kanten wel door te hebben. Je wordt onvermijdelijk
wat meer voorspelbaar voor elkaar en als je dat
combineert met een wat tanende verliefdheid, dan
moet je oppassen voor sleur en ergernis. Als je kinderen hebt, zorgen die voor afleiding, ontsnapping,

gespreksstof en een gezamenlijke interesse. Hoe sterk dat speelt, merk je als je in gezelschap van vrouwen met kinderen zit. Het is geen vooroordeel of veroordeling van vrouwen, overigens, het is niet meer dan een vaststelling. Je hebt het vast meegemaakt: van zodra iemand het onderwerp kinderen aansnijdt, domineren ze het gesprek. Plots heeft iedereen de meest schattige verhalen die zelden een hoge amusementswaarde hebben op zich. Iedereen verdringt elkaar om ook maar met een bijzonder verhaal over de kroost te komen. Overigens kan dat ook in negatieve zin gebeuren. Wat de toon van het gesprek ook is, plots is er geen plaats meer om te spreken over persoonlijke emoties, kunst, ervaringen, zich ontwikkelen, standpunten en meningen (indien ze niet over kinderen gaan) enzovoort. Op dat moment merk je dat mensen gevlucht zijn in hun kinderen. Jij als kinderloze kunt dat niet (meer).

Des te belangrijker is het om je eigen belevingswereld op te bouwen. Gedeeltelijk valt die samen met die van je partner, omdat je zoveel mogelijk intieme en waardevolle momenten wilt delen. Aanvaard echter ook dat je niet permanent eenzelfde hoog niveau van intimiteit en liefde kunt beleven. Dat werkt alleen maar verstikkend, niet alleen voor je partner, maar ook voor jezelf. Je beperkt je belevingswereld, waardoor je minder interessant wordt voor je levensgezel.

De ander kan niet altijd op nummer 1 staan. Het is unfair en contraproductief om dat te wensen, te verlangen, laat staan te eisen. Natuurlijk, als je partner zal moeten kiezen, zal hij/zij hopelijk voor jou kiezen, maar denk niet dat dit absoluut is. Dat mag in het algemeen nog zo waar zijn, je kunt dat niet op elk moment verlangen. Stel dat je bij alles aan je partner zou vragen: ben je liever bij mij of bij je vrienden. Verkies je je sport boven mij? Dat zijn onredelijke vragen, want al is dat waar op elk punt apart, het is niet waar in het geheel, want dan vraag je van iemand dat hij/zij jou plaatst boven zichzelf en dat is dan weer geen teken van liefde van jouw kant. Laat je partner dan ook nooit die keuze maken. Als je vindt dat je te

Als je je vrouw beperkt in haar persoonlijke ontwikkeling, zal ze andere wegen zoeken om haar dromen en wensen te realiseren.

weinig aandacht krijgt, maak dit dan bespreekbaar door op een rustige, prettige en positieve manier dit probleem onder de aandacht te brengen. Doe dit niet op een moment dat je ruzie maakt of als er een negatieve stemming heerst. Je kunt je partner wel op korte termijn dwingen om iets te doen of te laten, maar alleen als je partner positief gestimuleerd wordt om te doen wat jij ook leuk vindt, pas dan zal het ook op termijn werken. Als je probeert boven de concurrentie om aandacht uit te stijgen door die alternatieven te bestrijden, dan zal het contrast alleen maar groter worden. Word je boos als hij te laat thuiskomt, dan lijkt het alleen maar dat je hem beperkt en wordt het probleem niet dat hij te laat uitging, maar wel dat jij erover zeurt. Op korte termijn kun je hem misschien temmen, maar vroeg of laat verlies je het pleit.

Als je je vrouw beperkt in haar persoonlijke ontwikkeling, zal ze andere wegen zoeken om haar dromen en wensen te realiseren.

Je moet jezelf en je partner stimuleren om dingen apart te doen, naast de zaken die je graag samen doet. Op die manier krijg jij ook weer nieuwe stimuli, die je leven verrijken en waardoor je elkaar weer boeiende dingen te vertellen hebt, verhalen die op hun beurt weer zorgen voor verfrissing. Nieuwe verhalen en impulsen maken ook dat je partner je interessant blijft vinden. Zorg ervoor dat je partner die leuke spanning niet moet vinden bij een nieuwe partner, maar dat jij die nieuwe partner bent. Neem daarbij een voorbeeld aan sterren die lang aan de top staan: dat bereiken ze niet door steeds hetzelfde te doen. Dat laatste is typisch voor een one-hit-wonder. Die brengt een liedje dat aanslaat, vervolgens eentje dat erop lijkt en daarna is het voorbij. Mensen als Madonna en George Michael lijken zichzelf steeds opnieuw uit te vinden. Natuurlijk herken je hun identiteit er nog in, maar de vormgeving is telkens anders, verrassend. Soms gaan we daarin mee en andere stijlen vinden we dan weer minder, maar we zijn wel steeds opnieuw geboeid.

Op wie werd je verliefd?

Mensen evolueren. Meestal geleidelijk en soms met sprongen. De boeken die je leest, de gesprekken die je voert, de informatie die je krijgt via tv en radio geven aanleiding tot langzame veranderingen in je denken, dromen en doen. Je zou kunnen denken dat die indrukken en invloeden je ontwikkeling met sprongen vooruit helpen. Dat is meestal niet het geval. De reden daarvoor hoeven we niet zo ver te zoeken. We hebben namelijk de neiging om maar mondjesmaat nieuwe ideeën toe te laten. Wat we lezen, kijken en horen, is al voorgeselecteerd. We kopen de krant en de tijdschriften die aansluiten bij onze ideeën, we lezen de boeken die we leuk vinden en we omringen ons met vrienden van wie de ideeën niet teveel afwijken van de onze. Op die manier verloopt onze ontwikkeling geleidelijk. Dat maakt het in een relatie wat gemakkelijker, omdat die invloeden ook wel redelijk parallel lopen. De verwerking kan anders zijn, maar dat hoeft geen probleem te vormen. Wel is het belangrijk om ervaringen en ideeën te delen, wat mannen ook lijken te denken hierover. Open en eerlijke gesprekken voeren, je gevoelens uiten en het ook eens niet met elkaar eens zijn en dat kunnen aanvaarden, is bijzonder belangrijk. En al ben je het niet met elkaar eens, dan geeft dat niets zolang je maar open naar elkaar luistert en elkaars mening respecteert. Dat vermijdt dat je uit elkaar gaat groeien, een proces dat onmerkbaar plaatsvindt, net omdat het sluipend is. Je spreekt niet voldoende met elkaar, er ontstaat een afstand en voor je het weet leef je met een vreemde in huis. In dat geval kan een opfrisbeurt helpen. Samen opnieuw beginnen, kijken naar wat jullie op elkaar verliefd deed worden. Ga gerust terug in de tijd en vind het in je hart om een opsomming te maken van wat je aan elkaar leuk vond. Kijk of dat er nu nog is, spreek het uit. Je zult verbaasd zijn over wat er op papier komt, wat de ander zegt. Het is niet ongewoon dat je tot de herontdekking komt van eigenschappen die je dacht op de achtergrond te moeten verdringen, die je af hebt geleerd of die zijn weggesleten, terwijl je partner die nu net wel leuk leek te vinden. Vraag opnieuw wat de ander leuk aan je vindt en spreek uit wat jij in de ander waardeert.

Gekscherend wordt wel eens gezegd dat iedereen de perfecte partner zoekt en als hij/zij haar/hem gevonden heeft, die probeert te veranderen. Daar zit een kern van waarheid in. Niemand is perfect en de kleine dingetjes die we in het begin schattig vinden, kunnen ons na verloop van tijd behoorlijk op de zenuwen werken. Je moet je dan wel afvragen of die hebbelijkheid niet samenhangt met een eigenschap die we net bewonderen. Sommige vrouwen vallen op een avontuurlijke, vrijgevochten en impulsieve man, maar willen wel graag dat hij elke dag stipt om 17.30 thuis is. Als het conflict daar rond draait, zal er iets sneuvelen, ofwel het op tijd thuis zijn, ofwel het avontuurlijke, vrijgevochten impulsieve.

Ik loop het risico in clichés te vervallen, maar dat bevordert weer de herkenbaarheid. Hoe vaak wordt een man niet verliefd op een mooie vrouw die zich open in de wereld beweegt en die hij vervolgens uit jaloezie verstikkend bij zich houdt omdat ze teveel aandacht trekt. Sommige eigenschappen zijn onlosmakelijk met elkaar verbonden en omdat het een niet kan zonder het ander, moet je goed nadenken over wat jij verlangt van je partner en of je bereid bent het gehele pakket te nemen. Het is unfair ten opzichte van de ander om met veranderingseisen of zelfs nog maar veranderingswensen een relatie in te gaan. Je kunt de ander wel proberen te veranderen, maar je betaalt meestal vroeg of laat een hoge prijs.

Je moet de ander aanvaarden zoals die is, net zoals de ander jou moet accepteren zoals je bent. Alleen hoef je jezelf niet altijd te aanvaarden zoals je bent.

De jaarlijkse opfrisbeurt voor je relatie

We hadden het er al even over. Misschien is het voor jullie een goed idee om één keer per jaar op een vaste vooraf vastgelegde datum een gesprek te voeren, om de klokken weer gelijk te stellen, om proactief met je relatie bezig te zijn in plaats van te wachten tot iemand de alarmklok luidt. Als je voor zo'n opfrisbeurt kiest, moet je het ook goed doen. Daarom enkele regels.

- Jij en je partner kunnen de opfrisbeurt om geen enkele reden uitstellen.
- Je gaat ergens naartoe waar je niet gestoord kunt worden.
- Je zorgt ervoor dat je volledige aandacht voor elkaar kunt hebben.
- Je zorgt ervoor dat je geen telefoons in de buurt hebt, geen mensen die kunnen binnen springen, kortom, geen afleiding: je bent bij elkaar en je bent er alleen voor elkaar.
- Kies een romantische locatie uit, liefst in de natuur, ver weg van alles wat je afleidt.

En dan spreek je samen, zoals je dat in het begin van je relatie deed: open, met respect, een beetje verlegen, vol hoop en liefde, alsof je elkaar nog moet leren kennen. In zekere zin is dat ook zo, want in dat jaar is er weer veel gebeurd. Je hebt die indrukken verwerkt, ideeën gevormd, veranderd en verloren. Je moet elkaar weer leren kennen. Laat elkaar uitspreken. Denk niet te snel dat je weet wat de ander gaat zeggen en als dat toch het geval is, wees dan gelukkig dat je de ander nog zo goed kent. Luister en luister echt, niet alleen naar de woorden, maar ook naar de emoties en de toon in de stem. Vraag door naar wat de ander echt bedoelt. Spreek over jezelf, vraag naar de ander. Ga op zoek naar het nieuwe in de ander en verwoord waarin jij veranderd bent. Ga er niet van uit dat de ander je niet begrijpt, maar zet je in om de overeenkomsten te vinden en de verrijking te zien die ontstaat door de verschillen.

Laat de hele opfrisbeurt minimaal twee dagen gebeuren met een wandeling, fietstocht of een andere rustige activiteit en niet langer dan drie, zodat er nog voldoende verlangen is naar meer en vaker. Zorg ervoor dat alles goed geregeld is en dat je lekker eet. Geef meer uit aan eten en hotel dan je normaal zou doen. Geniet en zorg ervoor dat je elk jaar weer uitkijkt naar deze dagen.

Vertrouwen

Er is geen groter geschenk dat je de ander kunt geven dan vertrouwen. Het is aan de andere kant psychologisch niet eenvoudig omdat hoe meer vertrouwen je geeft, hoe makkelijker het voor de ander is om het vertrouwen te misbruiken.

Er is geen groter geschenk dat je de ander kunt geven dan vertrouwen.

Bij het woord vertrouwen, denken we spontaan aan trouw, dat de ander je niet bedriegt. Dat is echter maar een klein gedeelte van het vertrouwen dat belangrijk is in een relatie. Het heeft wel de grootste impact in een relatie. Maar laten we nu eens niet alleen kijken naar die grote scharniermomenten, maar eerst naar een andere vorm van vertrouwen die veel meer aan bod komt in het samenleven, maar waar weinig aandacht aan wordt besteed als het om relaties gaat.

Twee mensen met twee persoonlijkheden hebben verschillende manieren om problemen aan te pakken of gewoon zelfs maar om dingen te doen. Dat kan variëren van de manier waarop je met vrienden omgaat tot de wijze waarop je tandpasta op je tandenborstel doet. We zijn allemaal anders met een andere achtergrond en andere gewoontes en hebbelijkheden. Harmonie in een relatie kan er alleen maar zijn als je het grote geheel ziet en je niet gaat ergeren aan wat of hoe je partner iets doet. Ruwweg zijn er drie manieren hoe je kunt reageren als je partner iets doet wat je stoort. Van grof naar verfijnd zijn dit:

a) je kunt de relatie verbreken. Dit is de meest radicale manier en kan de juiste zijn als je met iets echt niet kunt leven. Dat kan zijn omdat het heel fundamenteel is, bijvoorbeeld uitgesproken standpunten over maatschappij, relatie of religie. Het kan ook zijn dat je de twee stappen van b en c hebt geprobeerd, maar dat het gewoon niet helpt omdat jij of je partner niet wil veranderen op dat gebied, terwijl het voor jou fundamenteel is.

b) het thema bespreekbaar maken. Je kunt een rustig gesprek aan gaan met de ander. Meestal helpt het om ook aan te kondigen dat het je gaat om een verbetering van jullie relatie. Natuurlijk moet je dan bereid zijn om zelf ook open te staan voor kritiek. Het is in zo'n gesprek niet de bedoeling om over en weer verwijten naar elkaar te slingeren. Je kunt bijvoorbeeld aankondigen dat je wilt werken aan het steeds verbeteren van jullie relatie. Met mannen is het niet altijd makkelijk om de ruimte te creëren voor zo'n gesprek, maar de meesten vinden het achteraf wel bevrijdend. Voor mannen zelf kan het helemaal moeilijk zijn. Een afspraak kan zijn dat je aangeeft welke drie dingen je bij de ander storen. De ander kan dan eventueel beargumenteren waarom hij/zij iets op die manier doet en dan kunnen jullie kijken of er wat aan gedaan kan worden. Het hoeft niet noodzakelijk te betekenen dat de ander zijn gewoonte verandert. Het kan ook goed zijn dat jij de hebbelijkheid begrijpt en accepteert. In het hoofdstuk over conflicthantering vind je dat het feit dat je de ander confronteert, betekent dat je hecht aan de relatie, anders zou je het probleem wel vermijden of je wil doordrukken.

Lijkt je dit allemaal wat rationeel en berekend? Zeker, dat is het ook, maar je zult het met me eens zijn dat er zo al voldoende emotionaliteit in een relatie zit en dat je op momenten dat je iets wilt bespreken, de emotionaliteit het best zo ver mogelijk uit het speelveld kunt bannen. Het is bijzonder nuttig om af en toe een rationeel ijkmoment in te bouwen.

In een volgend gesprek kun je hier dan op verder bouwen en hopelijk elkaar complimenteren voor de vooruitgang die jullie hebben geboekt.

c) een derde mogelijkheid is dat je je partner het vertrouwen geeft dat de ander de dingen doet omdat hij/zij ook, net als jij, het beste denkt te doen. Dan kan het natuurlijk nog zo zijn dat jullie het daar niet over eens zijn, maar de vraag is in hoeverre dat noodzakelijk is? Is het voor jou belangrijk hoeveel tandpasta iemand op zijn tandenborstel doet? Kun je er echt niet mee leven dat iemand niet onmiddellijk alles opruimt, maar dat doet op een vast moment van de dag? Wil jij bepalen hoe iemand zijn fruit moet eten?. Het getuigt van een bijzondere vorm van volwassenheid als je jezelf ertoe kunt brengen de ander iets te laten doen zoals hij/zij zelf denkt dat het beste te kunnen doen. Zelfs al ben jij er zelf van overtuigd dat jouw aanpak beter is, wat hoop je daar op dat moment mee te winnen? Als de ander niet om je hulp vraagt, krijg je waarschijnlijk alleen maar ergernis en je moet je afvragen of dat wel opweegt tegen wat jij ziet als een betere methode en het belang ervan dat die andere die exact op die manier toepast. Heb je angst dat het anders misloopt? Er is echt niet zo veel dat fundamenteel mis zal lopen en meer nog, er zijn weinig garanties dat jouw methode beter is. Zeker anders, maar daarom niet beter. Dat geldt dus nog sterker voor verwijten achteraf. Ook als je iemand hebt laten begaan en het loopt mis, dan heeft het geen enkele zin om alsnog te proberen je gelijk te halen. Iedereen weet dat jouw (theoretische) oplossing het altijd wint van de praktijk, want dat dit laatste niet goed is gegaan, dat is gebleken. Eigenlijk is het dus unfair om iemand te verwijten het niet gedaan te hebben op jouw manier. Achteraf heb je immers altijd gelijk. Het enige wat je ermee bereikt, buiten dat je eens je hart hebt kunnen luchten, is dat je het zelfbeeld van je partner beschadigt en weer een kras zet op jullie verbond. Het resultaat is ook dat je partner onzeker wordt en er steeds meer taken op jouw schouders zullen terecht komen, gewoonweg omdat je partner verlamd geraakt en niet meer weet waar hij goed mee doet en vooral niet hoe hij wat dan ook moet doen.

Voor het vertrouwen dat je geeft daarentegen, het vertrouwen dat iemand de beste oplossing zoekt, krijg je heel wat terug. Onderschat nooit de positieve energie die uitgaat van iemand die zich gesteund en vertrouwd voelt. Het vergt veel geduld en verdraagzaamheid, maar het is de moeite waard.

Om verandering te verkrijgen heeft het geen zin om te sleutelen, te wringen, te dreigen. Er is geen betere manier om iemand te veranderen dan door iemand te inspireren. Dat is de manier om het goede te behouden en te ontwikkelen en de mindere kanten, die we allen hebben, te verbeteren.

Overigens heb ik daarmee niet gezegd dat de derde methode alleenzaligmakend is. In sommige situaties is de tweede oplossing beter en soms helaas ook de eerste. Alles hangt af van wat jij uiteindelijk wilt en hoe je daar mee om wenst te gaan.

Het Grote Vertrouwen
Vertrouwen kom te voet en gaat te paard.

Iedereen kent de vele verleidingen waaraan we in onze relatie bloot staan. Zelfs minder ruimdenkende mensen, zelfs wie niet op zoek is, iedereen wordt dagelijks aan verleiding blootgesteld. In onze maatschappij zijn er nauwelijks nog taboes, voor elke smaak en elke fantasie is er wat wils. Voor de media en het internet is het tonen van verleidingen zelfs een taak. Het opzoeken van verleiding is nu heel gemakkelijk, vanuit je eigen huis: Google de naam van je jeugdvriendje of eerste liefde, zoek elkaar op via Facebook, leg contact via hotmail, chat via MSN, sms met je tweede, geheime mobieltje, ...

Om aan al die hedendaagse verleidingen te weerstaan, is vertrouwen nodig in de relatie. Gelukkig mogen we er sommige weglachen, zoals de Nespresso-commercials met George Clooney. Het grootste gevaar voor een relatie schuilt om de hoek, in een alledaagse vermomming. Voor wie in een relatiedipje zit, gebukt onder werkstress en dagelijkse sleur, is de ongehuwde secretaresse of de grappige buurman wellicht een verleiding voor jouw partner, zo denk je op dat moment. En dat is al onmiddellijk een element in het vertrouwen dat je aan je partner geeft, of net niet. Heb je redenen om te twijfelen aan zijn of haar trouw omdat hij/zij zich verdacht gedraagt of weet je diep van binnen dat je enkele gaten laat vallen in je relatie? Op het moment dat je zelf vindt dat de ander een reden zou hebben om vreemd te gaan, moet dat al een alarmbel laten rinkelen. Niet ten opzichte van je part-

Natuurlijk zijn er klootzakken en vrouwelijke varianten daarvan.

ner, maar ten opzichte van jullie relatie. Neem eerst actie op wat jij denkt te moeten doen, niet in de zin van het verhogen van de controle, maar wel op een positieve manier. Je kunt de gaten dichten en ervoor zorgen dat je partner (emotioneel) meer te verliezen heeft met vreemdgaan dan te winnen. Natuurlijk hangt dat af van beide zijden, natuurlijk is een eventueel vreemdgaan van je partner niet echt of altijd jouw schuld. Tenslotte zet de ander de stap. Natuurlijk zijn er klootzakken en vrouwelijke varianten daarvan.

Toch creëert het voorval of de mogelijkheid ook een moment van zelfonderzoek. Liefst niet als het vertrouwen geschonden is, maar al goed op voorhand. Niet als je iets vermoed of iemand betrapt, maar op het moment dat jij voelt dat er wel een aanleiding zou kunnen zijn omdat je relatie onvoldoende impulsen krijgt, als er onvoldoende liefde is.

De grootste vijand van een relatie is de ontrouw van één van beide partners[6]. Maar ontrouw kan ook een gevolg zijn van bijvoorbeeld emotionele verwaarlozing. Bij ontrouw in de relatie doet het er niet toe of er kinderen zijn, noch of het de man is die het bedrog pleegt dan wel de vrouw, het doet er zelfs niet toe of het seksuele of emotionele ontrouw is: voor zowat alle koppels is ontrouw het einde van het Grote Vertrouwen en het betekent vaak de stopzetting van de relatie, in ieder geval van de relatie zoals die bestaan heeft. Publilius Syrus[7] zei al 'Vertrouwen, net zoals de ziel, keert nooit in het lichaam terug eens het dat verlaten heeft.'

Ontrouw lijkt een grotere bedreiging voor een relatie indien er geen kinderen zijn. Deze relaties hebben niet het anker van het samen opvoeden van de kinderen, de verantwoordelijkheid die dit oproept. Is het zo dat het stijgende aantal scheidingen vooral bij

---

[6] De drie belangrijkste redenen voor een scheiding (2008): ontrouw (33%), de midlifecrisis (14%) en spanningen in het gezin (11%). In 78% van de gevallen is de man ontrouw, een stijging met 9%.

[7] Romeins schrijver en mimespeler van Syrische afkomst uit de eerste eeuw na christus.

koppels zonder kinderen voorkomt? In werkelijkheid is het net andersom: de kans op onvrede en ontrouw is groter bij koppels mét kinderen, vooral als ze jong en snel trouwden en te snel kinderen maakten[8]. Dit is een contradictie die een stevig argument vormt om heel bewust met een kinderwens om te gaan. Daarnaast is de impact van een scheiding met kinderen, zoals aangehaald, ook veel groter.

'Samen kinderen hebben' helpt nu minder vaak de relatie in stand houden: niet zo lang geleden was de beslissing om bij elkaar te blijven zowat automatisch indien er kinderen waren. Vandaag zien kinderen echter weinig fraaie voorbeelden: meer en meer mensen geven er in hun relatie steeds sneller de brui aan. Als mensen uit elkaar gaan terwijl er kinderen zijn, raken deze figurantjes gekwetst in het bloedbad.

In een vorige eeuw was het stramien 'huisje, tuintje en kindje'. Vandaag is dat steeds vaker 'appartementje, en samen gelukkig zijn'. De grootste armoede ontstaat overigens bij alleenstaande moeders. Hoera voor het ideaal en de ellende die de illusie van levenslange relaties met zich meebrengt. Ik vind dat geen negatieve opmerking. Als we er met zijn allen, inclusief de overheid, van uit zouden gaan dat relaties

---

[8] Uit een Brits onderzoek bij 3.000 getrouwde stellen bleek dat de gelukkigste stellen na drie en een half jaar in het huwelijk getreden waren, en twee jaar later een eerste kind op de wereld zetten. (The Daily Telegraph)

beperkt zijn in de tijd, dan zou iedereen wat meer aandacht hebben voor zijn zelfstandigheid en zouden scheidingen heel wat makkelijker geregeld worden.

Passie

Ongeveer 20% van alle relaties is kinderloos vandaag, of 'kindvrij'. Vaak is dit een positieve keuze, want mensen kiezen daarbij in de eerste plaats voor elkaar, voor hun passie en liefde. Als je om die reden voor elkaar gaat, is de kans veel groter dat je een storm overleeft.

In een relatie met kinderen geven de vrouw en de man elkaar vaak te weinig aandacht, 'dankzij' hun kinderen.

De flirt of affaire wordt dan sneller aanvaard als niets meer dan een misstap, die alleen een signaal is die toch het fundament van de relatie intact houdt. Iedereen heeft fantasieën, iedereen kan zich vergissen: als twee mensen elkaar het Grote Vertrouwen geven, dan hoort daar vaak ook vergeving bij.

In een relatie met kinderen geven de vrouw en de man elkaar vaak te weinig aandacht, 'dankzij' hun kinderen. De partners beseffen dat, doch de energie ontbreekt, de sleur regeert. Mensen missen iets in hun relatie: begrip, affectie, erkenning, waardering, seks, vrijheid. Dat werkt op de relatie in: zoals een zonnescherm mensen uit de warmte van de zon zet, kunnen kinderen de partners in een prille relatie elkaar uit het oog doen verliezen. Vlakbij, net buiten het scherm, lijkt alles helder en mooi, iedereen lacht. De huid voelt nauwelijks warmte onder zo'n zonnescherm. Sommigen denken dan: 'Ik wil in de zon. Die warmte heb ik ook nodig.' Terwijl de echte zon in je relatie altijd je partner is, ook als er af en toe wat wolken verschijnen.

De behoefte om te 'ontsnappen' in een flirt of andere verleiding is kleiner in een relatie zonder kinderen, want de partners leiden ieder hun eigen leven als eigen persoon, in plaats van primair als vader of moeder. Hierdoor kan de nadruk liggen op eigen en gezamenlijke hobby's, vrienden, werk, collega's, samen veel leuke dingen doen, samen vrienden maken, samen op reis gaan. Zo bouw je aan dat Vertrouwen, zodat de relatie dusdanig sterk staat dat een avondje stappen met 'een goede vriend' niet meteen tot argwaan, jaloezie en twijfel leidt. Opvallend toch dat zowat iedereen angstig is voor bedrog door de partner. Vermits ontrouw voorkomt in de meeste relaties betekent het dat zij die twijfelen aan hun partner vaak in hetzelfde bedje ziek zijn[9]. Alleen

[9] Kinsey, 1948: ongeveer de helft van alle Amerikaanse mannen had voor z'n 40ste verjaardag een relatie met een andere vrouw dan hun echtgenote.

een positieve houding, het creëren van een volle relatie is de beste waarborg tegen ontrouw, maar zelfs dat biedt geen sluitende garantie voor succes.

Jaloezie

De definitie van ontrouw is eenvoudig: 'Alles waar je partner door gekwetst wordt.' Ontrouw is een bespreekbaar onderwerp geworden, ondermeer door een grotere openheid van de partners, een vergroot realisme wat relaties betreft en door het besef dat complexe factoren een rol spelen in een gelukkige relatie. Veel hangt dus af van de afspraken die er gemaakt werden, van de persoonlijkheden van de partners, en hoe hecht de relatie is.

Jaloersheid lijkt een aangeboren eigenschap, maar er zijn meer redenen om aan te nemen dat ze aangeleerd is. Dat kan al in de vroege jeugd gebeurd zijn in de strijd om schaars speelgoed of ouderliefde. Het kan ook later ontstaan zijn op het moment dat ooit je vertrouwen geschonden is. In dat laatste geval geldt een algemeen advies: neem, behalve wat je er positief uit geleerd hebt, nooit je vorige relaties mee naar een volgende.

Zit je jaloezie dieper, want langer geworteld dan wordt het ook tijd dat je jezelf gaat herprogrammeren. Het is niet zo dat je de ervaringen uit je jeugd moét meeslepen in je verdere leven. Als je er bewust mee omgaat, kun je altijd veranderen. Het probleem is gewoon dat de meeste mensen dat niet doen. Kijk even voor jezelf of je jaloezie je nu helpt of net dwars zit en zoek dan de juiste oplossing. Als de ene partner vertelt over een sympathieke collega of over het

Openheid, vertrouwen, het bevestigen van je liefde en een boeiend eigen leven zijn de beste remedies tegen jaloezie.

jeugdliefje dat men ergens tegen het lijf liep, dan hoeft zoiets niet uit te groeien tot een bedreiging. Openheid, vertrouwen, het bevestigen van je liefde en een boeiend eigen leven zijn de beste remedies tegen jaloezie.

Hertog de la Rochefoucault zei in de 18e eeuw al: Jaloezie is meer eigenliefde dan liefde.

Opbiechten

Ontrouw is niet zo eenvoudig op te lossen en te verwerken en het is zeker nooit gemakkelijk te vergeven. Daarom is het volgens psychologen niet nuttig of nodig om ontrouw op te biechten. Slippertjes gebeuren vaker dan we denken en weten, zoveel is wel duidelijk. De ontrouwe partner beschouwt daarbij de flirt meestal als iets onschuldig of tijdelijk.

Er is ook de pragmatische en ietwat cynische kijk: de emotionele en financiële prijs van een echtscheiding is gigantisch, en iedereen weet ondertussen dat de seks in die affaire nooit zo goed blijft als in het begin. Dus waarom een flirt opbiechten, als het bij een flirt blijft?

Dat rechtvaardigt de scheve schaats natuurlijk niet. Waarom is de behoefte tot ontrouw er? Als het geen ziekelijke drang is, welke emotionele of fysieke verwaarlozing ligt er dan aan de bron? Vaak is ontrouw een reactie op iets, zoals niet begrepen worden, te weinig seks, te weinig aandacht. Beide partners kunnen zich dat afvragen en dat is een bijzondere nuttige oefening, of een relatie nu opgebiecht is of niet. Stel jezelf de twee vragen:

1. is onze relatie op zich te redden en zo ja hoe?
2. hoe zou onze relatie er uitzien als ik dezelfde energie er in stopte die ik nu gebruik om vreemd te gaan?

Als het probleem verholpen wordt, als er over gepraat kan worden, zonder dat de ontrouw openbaar gemaakt wordt, dan valt de reden voor ontrouw vaak weg. Wat telt, is de liefde voor elkaar, en hoe belangrijk de relatie voor beiden is.

Belangrijker is zelf te beseffen waarom het gebeurde:

De kans is vrij groot dat een affaire het gevoel van eigenwaarde van de ontrouwe partner doet toenemen. Daarna blijkt dat het verhoogde gevoel van eigenwaarde het vermogen om de partner lief te hebben vergroot heeft. Het onderscheid tussen mannen en vrouwen is daarbij belangrijk: een affaire leidt bij een man vaak tot een toename in de relatietevredenheid, terwijl het bij vrouwen vaker tot een afname komt[10].

Ontrouw hoeft niet te leiden tot een relatiebreuk, als de bindende factoren sterk zijn. Er zijn heel wat koppels die de crisis op een positieve manier verwerken. De partners komen tot nieuwe inzichten over elkaar en over de relatie. Hun relatie wordt beter en bewuster waardoor ze ook de kwaliteit ervan beter gaan bewaken. De crisis wordt een kans om opnieuw te starten.

In een relatie ga je voor elkaar in goede tijden en in slechte tijden. Net als alle andere clichés is dit gezegde eenvoudig de waarheid. Elke relatie kent 'downs', soms om een kleine reden als 'Waarom heeft zij minder interesse in mijn hobby?' of 'Waarom neemt hij me al jaren niet meer uit, gezellig uit eten?' Soms is

---

[10] Kinsey, 1948: een man merkt tijdens of na een affaire meestal dat de relatie met zijn partner beter is dan hij dacht. Echter, als de geheime betrekking aan het licht komt, betekent dat het einde van de relatie.

er een dip naar aanleiding van de fameuze zeven-
jarige kriebel; seks is nu éénmaal belangrijk, en is
vaak de reden voor ontrouw.

Echter, elke vrouw of man die een langere relatie
heeft, weet dat als die 'downs' er niet waren, dat dan
de daaropvolgende 'up' niet zo zoet zou smaken.
Ieder nadeel heeft z'n voordeel, en wie van het nadeel
een voordeel weet te maken, staat toe dat sommige

Het gezamenlijk overwinnen van moeilijkheden verstevigt de band tussen twee mensen als niets anders.

van de verleidingen extra smaak of kleur aan een
relatie geven, als ze samen besproken en getrotseerd
worden. Het gezamenlijk overwinnen van moeilijkhe-
den verstevigt de band tussen twee mensen als niets
anders. Mensen die geen gezamenlijke geschiedenis
opbouwen met iemand anders, ervaren sneller leegte
in hun bestaan als ze ouder worden.

Een betekenisvolle relatie is een uitdaging en ieder
van ons kan van het probleem een opportuniteit
maken. 'Wij hoeven niet bij elkaar te blijven omwille
van de kids, wij blijven bij elkaar omdat we elkaar
graag zien. En als er water in de boot staat, is dat nog

geen reden om overboord te springen, want daar is het water dieper. Als we samen water scheppen, is de boot sneller droog.'

Het Grote Vertrouwen, dat is de positieve keuze maken om bij elkaar te blijven, ook al is er af en toe een negatief moment, zoals in elke relatie. Liefde is veel meer dan verliefdheid en begeerte, het is vertrouwen op elkaar, zoals enkel twee volwassen en bewuste mensen dat kunnen.

'Lachen maakt gezond. En pannen- koeken eten ook.'

Adrian (38)

Anna en ik hebben geen kinderen, en toch kri- oelt het rond ons altijd van de kindjes,' vertelt Adrian, met een brede smile. 'Veel families komen aan de kust hun vakantie doorbrengen, en ons restaurant is gekend voor de lekkere pannen- koeken, en ijsjes.'

Adrian werkt samen met z'n vrouw Anna op een zeedijk
in de horecazaak van haar vader. Ze wonen vlakbij,
in een ruim appartement met zicht op zee.

'Anna en ik wilden graag kinderen, en wij hebben
de ambitie om een keten van pannenkoekenrestaurants
te openen langs de kust. Alleen, wij werken zeven van
de zeven dagen, Anna en ik, samen met het team. Van
sommige mensen voelden wij wel eens ongemak bij ons
uitgesproken verlangen naar kinderen, omdat we zo
hard werken, vooral in de vakanties. Zo van: "Hoe
zouden jullie het bedrijf combineren met school-
gaande kinderen?" Een vriend zei me laatst zelfs,
zo'n beetje cynisch: "Als jullie kinderen gehad
hadden, zou je ze zes maanden per jaar niet gezien
hebben." Gelukkig was het een vriend die dat zei.
(lacht)'

'We delen zoveel, Anna en ik, zoals ons gevoel voor
humor. Lachen maakt gezond. En veel pannenkoeken
eten uiteraard ook. Bijvoorbeeld, ik las vorige week
in de krant dat een gezin gemiddeld 1.7 kinderen
heeft. Datzelfde gemiddelde gezin met kinderen is
blijkbaar ook gestresseerd en ongelukkig, jammer
genoeg. Anna en ik maken daar dan grapjes over. Weliswaar hebben wij 'zero point zero kids', en in ruil
zijn wij bovengemiddeld gelukkig en gezond.'

'Kinderen zullen er voor Anna en mij dus niet
komen. Er is niets aan te doen. Mijn gastjes zwemmen

niet snel en niet ver genoeg. Dat weten Anna en ik al bijna tien jaar, maar ik zeg héél dikwijls tegen haar: "Kom, we zullen nog eens proberen!" Vrum vrum vrum! (lacht) Ach, we weten wel beter natuurlijk. Wij twee hebben meer kans om de lotto te winnen, dan om een eigen kindje krijgen. En de lotto hebben we al gewonnen, met elkaar, en met onze heel goed draaiende zaak.'

Anna en ik zorgen dat wij ons eigen leven hebben, en niet van kinderen afhangen om gelukkig te zijn.

'Adoptie of ingewikkelde medische toestanden, dat is niets voor ons gewone mensen. Je leest dan in de krant over koppels die in het buitenland kindjes gaan kopen... Ik wil ze niet veroordelen, maar mijn gedacht is: Anna en ik zorgen dat wij ons eigen leven hebben, en niet van kinderen afhangen om gelukkig te zijn. Bovendien, Anna en ik zijn beiden gelovig, dus het was op de natuurlijke manier, of niet.'

'Anna is enkele maanden ouder dan ik. Vooral voor haar tikte de klok. We hebben er de voorbije jaren veel over gepraat. Het overheerste zelfs onze gesprekken. Hoe gaan we ze noemen, op wie zouden ze lijken, zouden ze mee in de zaak stappen als ze groot

zijn... We zijn er blijkbaar langzaam en zeker uit-
gekomen. Nu praten we over andere dingen, over ons,
en onze plannen. Tien jaar geleden hadden we in ons
appartement al een kinderkamer ingericht. Nu trekken
we er een streep onder. De kamer krijgt een andere
bestemming. Het wordt een werkkamer.'

'We hebben elkaar leren kennen op het terras van
de zaak van haar vader, bijna twintig jaar geleden,
en binnen enkele jaren nemen we die zaak helemaal
over van hem. Sinds een drietal jaar werken Anna en
ik ook aan het businessplan. We zien het groots, we
gaan ons helemaal smijten. We mikken op twee extra
restaurants voor we 40 zijn; 1 in Oostende en 1 in
Blankenberge. We praten nu met de eigenaars van die
zaken, wellicht wordt het in beide gevallen een over-
name.'

'Anna en ik zitten zowel privé als zakelijk op
dezelfde golflengte, dat is in onze situatie een gods-
geschenk. Dat is wat raar uitgedrukt, want God heeft
ons dat ene geschenk niet gegeven. Maar wij blijven
eenvoudig. Wij zijn blij met wat we hebben. Anna en
ik zijn gelukkig samen, en samen met haar familie
bouwen wij iets op waar zoveel anderen van dromen.
Ik zeg altijd: "Ga uit van je sterke punten, in
plaats van je te concentreren op je zwakke kanten."
Er is zoveel om voor te leven, dag in, dag uit.'

'Het mooie aan Anna is niet haar uiterlijk, al is

ze de knapste vrouw die ik ooit gezien heb. Ik ben er de oorzaak van dat zij nu geen kinderen heeft, al kan ik er helemaal niets aan doen. Dan denk ik wel eens: "Waarom wij? Mag ik dat Anna aandoen, kan ik haar dat ontzeggen?" Altijd staat Anna dan op één of andere manier naast me, we kijken uit over de zee, we genieten van de natuur, we nemen elkaar in de armen, en ik besef hoe gelukkig wij zijn. Zij heeft mij getroost, in plaats van andersom. Om zo sterk te zijn dat je je eigen verlangens kan relativeren, om mij over mijn moeilijke moment heen te helpen... Ik ben voor eeuwig en een dag haar man.'

'Iets wat we ook delen, is onze passie voor het veldrijden. Ja, Anna ook. (lacht) In de winter hebben we het iets minder druk in de zaak, en dan trekken wij er met ons twee op uit. We volgen de strijd tussen de veldrijders Nys, Wellens en Albert op de voet, soms zelfs tot in Frankrijk toe. We hebben altijd de fietsen bij, achterop onze break, en dan trappen we zelf ook zo'n vijftig, zestig kilometer. Daarna een lekkere wafel, om de concurrentie te testen. (lacht) Van die dagtrips samen genieten we echt. Samen in de open natuur, elkaar plagen, en natuurlijk veel plannen maken, want we willen vooruit.'

'Als je in de horeca zit, en je werkt zo hard als wij, dan kun je een goede gezondheid en een goede relatie écht naar waarde schatten. In ons vak

sneuvelen de koppels namelijk **aan** de lopende band.
En oud word je in de horeca ook al niet. (lacht) Anna
en ik hebben afgesproken dat we ons niet dood gaan
werken. We willen nu iets opbouwen, en daar geven we
ons een jaar of tien voor. Dan verkopen we de boel.
Dan kunnen we ook in de zomer onze fietstochtjes
ondernemen. Misschien reizen we daarna de wereld wel
rond. Wij leven ten volle. Ik hoop dat we dat met ons
tweetjes nog heel lang kunnen doen.'

De kracht van de waardering

N aast respect is waardering een belangrijke bouwsteen van een bloeiende relatie. Als je terugkijkt naar het begin van je relatie dan hoop ik dat je toen niets als vanzelfsprekend aannam. Alles wat de ander voor je deed, waardeerde je en liet je hart opspringen van vreugde. Misschien was je verbaasd hoe goed hij voor je kookte en was hij je dankbaar dat je zijn rug masseerde. Weet je nog hoe jij haar steun waardeerde en hoe hij je altijd een mooi compliment wist te geven?

En hoe zit dat nu? Besef je nog voldoende dat het

niet vanzelfsprekend is wat de ander voor je doet en doe jij nog die bijzondere dingen voor de ander, ook al ben je twee, vijf, tien of vijfentwintig jaar bij elkaar?

Zijn jullie nog maar net bij elkaar dan ben je in een gezegende toestand, want dan heb je de gelegenheid om hier bewust mee om te gaan en ervoor te zorgen dat de wederzijdse waardering niet afzwakt.

Voor diegenen die elkaar al wat langer kennen, het is nooit te laat om weer eens goed na te denken over wat de ander waardeert en wat je voor hem of haar kunt doen. Denk er dan goed aan dat het draait om wat de ander kan waarderen en niet wat jij liever hebt. Al te vaak zien we koppels die zich krampachtig uitsloven en steeds meer voor de ander gaan doen wat ze zelf graag zouden hebben. Op dat moment begrijpen ze de codes van de liefde niet. Dat is pijnlijk en frustrerend, want ieder zendt dan voortdurend liefdevolle signalen uit die door de ander niet worden opgepikt. Dit is een belangrijke reden tot vervreemding, want de ene partij voelt zich niet gewaardeerd en de andere voelt zich niet geliefd.

Neem als voorbeeld dat iemand graag zijn rug gemasseerd ziet en daardoor zelf het initiatief neemt de rug van de ander te masseren. De ander vindt dat echter niet zo prettig. Als je hier niet duidelijk in alle liefde over communiceert, dan eindigt dat ofwel in een gevoel van afwijzing voor diegene die het initiatief nam ofwel in een situatie waarbij beide personen vinden dat ze op dat ogenblik investeren in de relatie op een manier waarop ze allebei vinden dat ze op een ander ogenblik wel eens recht hebben op iets voor zichzelf. Dat kan niet goed aflopen. Het is daarbij niet altijd gemakkelijk om te aanvaarden dat de ander niet hetzelfde leuk vindt als jij. Misschien vindt de ander het wel leuk om iemand te masseren, maar niet om gemasseerd te worden. Het is best mogelijk dat iemand liever rustig alleen in bad zit dan gezellig met zijn tweeën. Misschien geniet de ander meer van een bezoek alleen aan een film in de bioscoop van een genre dat hij of zij echt leuk vindt, dan met jou naar een film die je allebei maar matig waardeert als een soort compromis. Spreek dat gerust uit, anders loop je een goede kans dat je allebei iets tegen je zin doet.

Je kunt die nieuwe start op elk moment maken, hoewel het misschien voor de partner die niet het initiatief neemt verrassend zal overkomen en misschien zelfs een beetje zwaar op de hand. Laat dat je vooral niet afschrikken. Zo'n gesprek loopt altijd goed af. In het beste geval vernieuwde liefde, in het slechtste geval duidelijkheid.

Als jullie ooit kinderen gehad hebben en ze zijn nu het huis uit, dan is het een perfecte tijd om dit op te pikken alsof je een nieuwe start maakt. Intussen hebben jullie echter ook een hele evolutie meegemaakt.

Het kan een leuke periode worden om elkaar opnieuw te ontdekken. Maak gewoon een afspraakje met elkaar, voor een avondje uit en heel belangrijk: bereid je daar op voor. Wees op tijd. Zorg ervoor dat je voldoende stof hebt om over te praten[11]. Lees een boek

Waardering heeft je bij elkaar gebracht ooit en kan dat opnieuw doen.

over een onderwerp dat de ander interesseert, luister aandachtig, kom met verrassende kanten van jezelf. Deel herinneringen, maar maak ook plannen over de toekomst. Spreek niet alleen over de kinderen, spreek over elkaar en verras de ander met je mooiste complimenten en een klein geschenk.

Waardering heeft je bij elkaar gebracht ooit en kan dat opnieuw doen. Waarom vinden we het dan vaak zo moeilijk om dat te blijven uiten? Is het omdat we ervan uitgaan dat de ander het nu wel weet? Slecht uitgangspunt. Waarom zou de ander het weten als jij het niet uitdrukt. Vanzelf zal het niet standhouden. Denk opnieuw aan de wet van de entropie. Waarom zou iemand iets blijven doen dat niet (meer) gewaardeerd

---

[11] *Zie hiervoor bijvoorbeeld Het Boek met Alle Gespreksonderwerpen.*

lijkt te worden? En als jij je waardering niet meer uit, ben je dan bereid de gevolgen te nemen als iemand anders dat wel doet? Want onderschat in geen geval de kracht van waardering.

Je partner stimuleren betekent niet dat je telkens andere dingen wil, noch dat je steeds hetzelfde verwacht. Het is een combinatie van iemand bevestigen in het bestaande en met babystapjes stimuleert om zich verder te ontwikkelen in de richting die de ander ertoe aanzet zichzelf te zijn en te worden. Je kunt daarin geen eisen stellen, maar wel elke ontwikkeling toejuichen en waarderen.

Verzorg jezelf

Ooit, toen jullie elkaar net kenden, wilde je altijd op je paasbest zijn als je bij de ander was. Voor je afspraakje trok je je beste kleren aan en checkte je in de spiegel of je er uitzag zoals je het wilde. Je gedroeg je zoals het hoorde en je vermeed alles wat een perfect beeld zou kunnen bederven. Dat is de manier waarop je je hebt onderscheiden van de anderen. Dat is de persoon waar de ander voor heeft gekozen, ooit.

En nu? Je zit misschien al enkele jaren in je relatie en ergens is er op zeker moment een kantelpunt gekomen. Wilde je er eerst piekfijn verzorgd uitzien voor je partner, je best mogelijke ik tonen, dan lijkt het nu helemaal omgekeerd. Je praat het voor jezelf goed dat je partner diegene is waar je het meest vertrouwd bij voelt, zodat je je kunt laten gaan. Hij of zij neemt je toch zoals je bent. De ander houdt toch van je om jouw persoon. Dat is ook zo, maar verlies nooit uit het oog dat ook de grootste, sterkste en populairste merken reclame voor hun producten blijven maken.

Ga er nooit van uit dat de buit binnen is. Telkens opnieuw zul je ons op dit advies horen hameren. De vraag is niet altijd of je ergens zin in hebt, de vraag is ook wat de behoefte van de ander is. Je kunt er dan wel op gaan gokken of je er in je relatie mee weg kunt komen om daar geen rekening mee te houden, maar feit is dat je een flank ongedekt laat en daardoor zet je de deur open voor concurrentie en dat kan in een relatie leiden tot ontrouw of tot een einde. Een relatie waar actief aan gewerkt wordt is geen garantie voor het vermijden van een breuk of het wegglijden van de ander, maar het verhoogt wel de kansen op een succesvolle relatie en geluk. En zelfs al zou het uiteindelijk niet werken, je kunt jezelf dan in ieder geval niets verwijten. Jij hebt het beste van jezelf gegeven en dat is altijd goed. Op zo'n moment bestaat er geen mislukking, alleen maar trots op jezelf.

Bovendien: zorg dragen voor jezelf doe je natuurlijk niet alleen in functie van je partner. Ook voor jezelf is het een uitstekende strategie. Wie voor zichzelf zorgt, zorgt voor zijn beste vriend en dat heb je verdiend. Dat het ook nog leuk is voor je omgeving in het algemeen en je partner in het bijzonder, is daarbij mooi meegenomen.

Je beste vriend(in), jezelf

Hoe belangrijk je partner ook is, jij zelf bent de belangrijkste persoon in je leven. Jij moet uitmaken wat je wilt en hoe je het wilt in het kader van je relatie. Daar heb je recht op en ben je zelf verantwoordelijk voor. Dit betekent nogal wat en soms vergeten we dat wel eens. Bij veel paren zien we een situatie ontstaan waarbij de ene partner leeft in functie van de ander.

Een levenslange verbintenis tussen twee personen is eerder de uitzondering dan de regel.

Je krijgt dan een afhankelijkheidssituatie die al dramatisch kan zijn in de gewone loop van het leven, maar die zich tot een ramp kan ontwikkelen als er een schokgebeurtenis ontstaat, bijvoorbeeld bij een overlijden of een scheiding. Een levenslange verbintenis tussen twee personen is eerder de uitzondering dan de regel. Het is goed voor je persoonlijke ontwikkeling om hier op elk moment rekening mee te houden.

Met de interpretatie hiervan moet je wel voorzichtig zijn. Ik bedoel niet dat je voortdurend er vanuit met gaan dat je relatie op de klippen gaat lopen, want dan zal het ook gebeuren. Het gaat erom dat het centraal stellen van jezelf een positieve levenshouding is die vermijdt dat je in een positie terecht komt waarin je niet meer de hoofdrol speelt in de film van je leven. Als je op die manier naar jezelf en naar je leven kijkt, dan zit je voortdurend aan het roer en dat is erg prettig. Volwassen worden is het proces van het in staat zijn je eigen beslissingen te nemen én er de volle verantwoordelijkheid voor te dragen. Niet iedereen slaagt erin deze overgang in volle bewustzijn van de mogelijkheden ervan te maken. Wat er dan gebeurt is dat iemand in de kinderrol blijft zitten. Gekoesterd door vader en moeder zoekt hij of zij in een partner een nieuwe moeder of vader. Op zich is daar niets mis mee, zij het dat het een aantal aspecten van de persoonlijke ontwikkeling wegneemt. Het individu wentelt zich in een soort afhankelijkheid, die trouwens ook wederzijds kan zijn. Het gevolg is dat de persoon, net zoals in een kind-ouderrelatie, zijn geluk laat afhangen van de ander, dat hij of zij zelfs gaat verwachten dat de ander het leven leuker gaat maken. Die afhankelijkheid legt de basis voor drama's op latere leeftijd. Hoe lief de ander ook is, hoezeer je ook houdt van de ander, je wordt niet jezelf in een relatie. Door jezelf te worden, kun je een relatie ten volle beleven.

Je partner kan ook niet anders dan deze levenshouding respecteren, want het kan toch niet zo zijn dat hij of zij een relatie met je is aangegaan, niet omwille van wie je bent, maar alleen maar omdat hij of zij denkt dat je iets kunt worden of omdat er iets van je te maken valt of dat je onder andere omstandigheden wel zou deugen, of dat iedereen toch hetzelfde is?

Ik weet dat dit een moeilijke materie is, want iedereen ontwikkelt zich, maar er is een zekere vaste kern die blijft door alle ontwikkelingen heen. Is de ander verliefd op de schil of op die kern? En als je kern verandert, of de ander blijkt meer te houden van datgene wat niet tot je wezen behoort, dan is het inderdaad tijd om afscheid te nemen, hoe mooi het allemaal ook begonnen was, hoe leuk ook de herinneringen waren. In de ontwikkeling van de mens is er zelden een weg terug die bevredigend is. Groei en ontwikkeling vormen de essentie van een zinvol leven. Daarop toegeven is als het opgeven van het leven.

Ontwikkeling maak je niet alleen door. Natuurlijk speelt je omgeving er een belangrijke rol in. Niet alleen beïnvloeden ze jou in positieve of negatieve zin, maar ze kunnen je ook op allerlei manieren steunen. Kun je dat verwachten van je partner? Ik denk dat er zonder steun geen sprake is van een volwaardig partnerschap. In een relatie met kinderen is het al noodzakelijk dat je er blijft zijn voor elkaar, in een relatie zonder kinderen is een relatie zonder wederzijdse steun zinloos.

Steun en er zijn voor elkaar betekent echter niet dat je partner jouw leven leuk moet maken. Daar ben je zelf verantwoordelijk voor. Er is niets zo verstikkend als wanneer jij naar de ander toe steeds weer verwachtingen creëert. Dat geldt eigenlijk op alle vlakken, maar laten we het hier even beperken tot het leuker maken van het leven. Doet een partner dat? Natuurlijk, vanzelf, door wie hij of zij is, door de kleine dingen, door de aandacht, door de wetenschap dat er iemand is op wie je steeds kunt terugvallen. Maar dat betekent niet dat je dit alles kunt eisen in een specifieke vorm. Wees maar niet bang dat dit bij relaties met kinderen beter gaat. Helemaal niet, alleen zijn die verwachtingen dan vaak niet alleen direct, maar borrelen ze ook op ten opzichte van en natuurlijk ook door de kinderen.

In het volgende hoofdstuk daarover meer.

De grote schokken in het leven creëren een totaal andere situatie. De impact van grote gebeurtenissen zoals het overlijden van een familielid of vriend, het verhuizen naar een andere buurt, stad of land, de verleiding van een mogelijke nieuwe partner, een misstap begaan door een van beide, een ziekte die jou of je partner treft, kunnen voor een plotse verwijdering zorgen. Zelfs al lijkt het erop dat jullie elkaar vinden in de moeilijke of verwarrende tijden die hiermee gepaard gaan, toch blijft het voor elke relatie moeilijk om dit soort omstandigheden door te komen.

Laten we het even niet hebben over de situatie waarin je tegenover elkaar komt te staan omdat de ene de andere gekwetst heeft.

Het delen van die gevoelens en het ontwikkelen van plannen om verder te gaan kunnen en zullen je relatie sterker maken.

Je hoeft echter niet tegenover elkaar te komen staan om een moeilijke tijd door te maken. Stel je voor dat je samen een ingrijpende gebeurtenis hebt meegemaakt, bijvoorbeeld een ziekte of het overlijden van een naaste, het ontslag van één of van misschien zelfs beiden tegelijk, een faillissement en of financiële problemen. Je hebt op dat moment al zoveel aan je hoofd, je bent zo druk met je eigen zorgen dat het moeilijk is om nog de energie op te brengen om er ook nog te staan voor de ander, terwijl die jou net nu het hardst nodig heeft. En in zulke ogenblikken is het vaak ook andersom. De ander lijkt er niet altijd te staan terwijl jij het nodig hebt. Dat hoeft niet altijd een slechte zaak te zijn omdat je op die manier goed begrijpt wat de ander doormaakt. Je belevingen en emoties lopen parallel en daar kun je iets mee doen. Het delen van die gevoelens en het ontwikkelen van plannen om verder te gaan kunnen en zullen je relatie sterker maken. Je weet op dat moment beter dan wie ook wat de ander doorstaat, waar de ander behoefte aan heeft, want bij jou is het niet anders. Dat geeft mogelijkheden, maar het kan alleen lukken op drie voorwaarden:

1. Je zorgt ervoor dat jullie de emoties wel ten volle beleven, maar je blijft niet hangen in je geschiedenis. Je moet je realiseren dat er nog een hele toekomst wacht. Hoewel je dat op die momenten misschien niet als positief ervaart, is het wel een feit en vooral ook een kans. Het heeft geen zin, noch voor jou, noch voor de mensen om je heen, noch voor de mensen die je hebt moeten achterlaten om te blijven treuren en jezelf te beklagen. Het is voor niemand goed, zeker niet voor jezelf. Je wordt er geen beter mens door en je verspilt het leven. Natuurlijk kan het zo zijn dat je op dat moment daar ook niet zo veel aan verspild ziet, maar dat is niets anders dan een zichzelf vervullende voorspelling. Vind er niets aan en dat zal ook blijken. Ga

op zoek naar wat je plezier en voldoening verschaft in het leven en je zult het vinden. Niet voortdurend en niet overal, maar die instelling is wel een voorwaarde om te genieten. Pas dan kun je in een gezonde relatie ook een toegevoegde waarde leveren aan het leven van je partner.

2. Je moet ervoor waken dat jullie je partner niet gaan associëren met het probleem. Dat gaat veel verder dan dat je elkaar de put in zou trekken of dat de ene partner de andere iets verwijt. Natuurlijk zijn die laatste twee een moordenaar voor je relatie als dit aansleept, dus zijn ze in een toekomstgerichte relatie volledig uit den boze. Als negativisme en verwijten een tank zijn die je relatie plat walst, dan is de negatieve associatie een sluipmoordenaar. Langzaam kruipt hij onder je huid en zorgt er onbewust voor dat het van kwaad naar erger gaat. Zelfs al verwijt je de ander de negatieve situatie niet, dan nog zal het feit dat de ander je eraan doet herinneren, de relatie van binnenuit opvreten. Dat is niet houdbaar, want de makkelijkste oplossing is dan dat de ander jou niet meer hoeft te ontmoeten. Je ziet vaak dat zulke schokkende gebeurtenissen zoals we die genoemd hebben, leiden tot scheiding. Dat vindt zijn oorzaak in het beschreven fenomeen van negatieve associatie met de gebeurtenis. Maak dus voor jezelf goed

uit of je dit wilt. Natuurlijk wil je dat niet, dat weet ik ook, maar als je jezelf de vraag niet stelt en er een bewuste daad van maakt dat je die associatie niet wenst, dan zal het gebeuren. Dus ga er dan bewust mee om door de ander te associëren met de steun die je van hem of haar krijgt, voor zover je die krijgt natuurlijk. Dat brengt ons onmiddellijk bij je actieve taak, namelijk dat je ook op die manier gezien kunt worden door de ander. Ook hier geldt weer dat je moet zoeken naar wat de ander steun geeft en niet wat jij als steun ziet. Het heeft geen zin om tegen iemand die alleen maar Frans spreekt luider te roepen in het Engels. Geef die steun en zorg ervoor dat de ander jou bewust associeert met de steun die jij geeft.

3. De derde voorwaarde is dat jullie het even op kunnen brengen je eigen beleving van de emoties aan de kant te schuiven en de energie te verzamelen die je in staat stelt je partner te steunen, los van je eigen ellende. Dat vergt zelfopoffering, maar je kunt van de ander niet verwachten wat je zelf niet kunt bieden.

Gelukkig zijn

O f een vrouw kinderen krijgt, bepaalt niet hoe gelukkig zij later wordt. Wil een vrouw gelukkig worden, dan moet ze iemand hebben om van te houden. Dat blijkt uit een onderzoek van de Universiteit van Michigan[12]. 'Of een vrouw kinderen heeft, lijkt niet veel invloed te hebben op het psychisch welzijn in haar latere leven,' zegt Amy Pienta, co-auteur van het onderzoek. 'Het gaat er om of ze een partner heeft, een 'soulmate' of een andere hechte sociale relatie.'

Pienta onderzocht of het tijdstip van het moederschap invloed had op het geluk van vrouwen. Het

[12] *International Journal of Aging and Human Development.*

onderzoek werd gehouden onder ongeveer 6000 vrouwen tussen de 51 en 61 jaar. Zij zijn geboren rond de jaren '50, een tijd waarin vrouwen op jonge leeftijd trouwden en kinderen kregen.

Vroege moeders (eerste kind voor hun 19e) blijken het minst tevreden te zijn. Dat komt omdat zij op latere leeftijd vaker single zijn en een laag inkomen hebben, twee factoren die van invloed zijn op de gemoedstoestand van vrouwen. De vrouwen die op latere leeftijd (eerste kind na hun 24e) kinderen kregen, zijn een stuk gelukkiger. De kans dat zij op hogere leeftijd nog steeds een partner hebben van wie ze houden, is aanmerkelijk hoger. Bovendien hebben ze vaak een hogere opleiding gevolgd en is hun financiële situatie beter dan die van vrouwen die jong moeder zijn geworden.

Tegenwoordig kiezen steeds minder vrouwen ervoor om kinderen te krijgen. En als vrouwen daar wel voor kiezen, gebeurt dat op latere leeftijd. Volgens het onderzoek hebben de vrouwen van nu een goed toekomstperspectief.

Wie zich focust op wat goed gaat en wat 'ie graag doet, die is gelukkig. Wie echter bezig is met wat moeilijk gaat en wat ie niet heeft, die is vaker ongelukkig. Aan die mensen die in een relatie zitten en die graag kinderen willen, maar bij wie het niet lukt: het betekent dat je een partner hebt, het betekent dat iemand van jou houdt en jou zo volledig vertrouwt dat het had gekund. Dat is toch het vertrekpunt voor een leven samen?

Ik ben er me erg van bewust dat mijn generatie één van de eerste is die het hebben van kinderen loskoppelt van het hebben van een relatie. Hoe kan ik ook anders? Na een langere relatie was ik de dertig voorbij toen ik m'n man ontmoette. Geen van beiden hadden we kinderen uit eerdere relaties, we waren zelfs niet eens eerder getrouwd geweest. De klok in onze relatie loopt niet gelijk met onze biologische klok. 'Life begins at thirty, yiha!' Voor mij en mijn man en voor vele anderen draait het leven niet meer om kinderen, toch niet automatisch.

De voorbije jaren verschenen er steeds meer artikels en boeken over het onderwerp. Ik voerde heel wat gesprekken met m'n vriendinnen, met totaal onbekenden, zelfs met journalisten over het al dan niet hebben van kinderen. Mijn conclusie is dat ik blijkbaar model sta voor een hele generatie vrouwen en mannen, vooral vrouwen, die hun persoonlijke groei vooropstellen.

Nooit had ik de babykriebel, dat oergevoel en tegelijkertijd ben ik helemaal niet tegen kinderen. Vroeger was ik een uitzondering, tegenwoordig zit ik dicht tegen het nationaal gemiddelde aan, getrouwd zonder kinderen, met een hogere opleiding en een leuke baan. Aan het einde van m'n leven zal ik wellicht toch een uitzondering blijken, want de meerderheid van de mensen heeft vroeg of laat toch kinderen. Voorlopig.

Een baby 'kopen' is niet hetzelfde als een auto of huis kopen.

Enerzijds beslis je niet langer automatisch om kinderen te hebben, anderzijds bestaat er niet zoiets als een checklist, die je gewoon effe met z'n beiden doorloopt, om dan tot een logische en eenvoudige conclusie te komen. Een baby 'kopen' is niet hetzelfde als een auto of huis kopen. De essentie van de beslissing als stel om samen kinderen te hebben is 'samen gelukkig zijn'. Ver weg zijn de tijden dat er een kind komt omdat het zo hoorde, gelukkig maar. Evengoed neemt niemand kinderen om het nationale gemiddelde omhoog te krijgen.

Een vrouw die vandaag twijfelt aan het krijgen van kinderen noem ik een realist. De impact van kinderen op haar leven en relatie is gigantisch, dat hoor ik vaak genoeg van Els en Julie. Els trouwde een tweede keer uit liefde, zij kreeg twee jonge kinderen uit liefde en nu zit zij met twee baby's in een redelijk prille relatie, gemakkelijk is anders. Het is met kinderen niet anders dan met alle andere fantasmes en fantasieën: je kunt naar iets verlangen en vaak maakt dat verlangen je gelukkiger dan de invulling ervan.

Als ik met iemand praat die twijfelt, dan begin ik al meteen met felicitaties. Iemand die twijfelt, probeert in te schatten wat het verschil is tussen houden van kinderen en proberen een leven te organiseren met kinderen er in. Kinderen komen immers vaker op de eerste plaats, na de relatie en na jezelf. Plots draait het leven bij dag en nacht rond de kinderen, vooral de eerste jaren. Als iemand spijt heeft, betekent het niet dat ie niet van z'n kinderen houdt. Het betekent dat hij of zij niet lang genoeg getwijfeld heeft.

Bij Julie betekende de twee kinderen meerdere gemiste carrièrekansen, terwijl haar echtgenoot alle kansen greep die hij kreeg, waardoor hij nog minder thuis was, bij de kinderen, waarop Julie opnieuw degene was die moest inspringen. Een vaak gehoorde vergelijking: 'Mijn relatie is een gevangenis. Mijn kinderen zijn de cipiers.'

Julie is gelukkig, op haar manier, net zoals zowat alle moeders: al wat ze nodig heeft, is dat een van haar dochters haar op de gsm belt en vraagt of ze zin heeft om samen iets te doen. Hoogtepunt van de dag. Eind goed, al goed. Als mijn vriendin gelukkig is, ben ik het ook.

Zowel Els als Julie hebben zichzelf het leven moeilijk gemaakt, want ze willen de beste moeders zijn op deze planeet. Vooral Els had het na de scheiding moeilijk om gelukkig te zijn, vermits het dochtertje uit het eerste huwelijk enorm afzag van het pendelen. Het klinkt heel hard, maar zelfs dan zou je moeten kunnen loslaten, het is niet anders, laat de kinderen voor een stuk zelf hun weg vinden in hun leven, zodat je er zelf iets aan hebt.

Twijfelaars hebben gelijk, het is de te bewandelen weg. Honderd jaar geleden had een vrouw niet eens het recht om te twijfelen, tien jaar geleden mocht een vrouw al een jaar of wat twijfelen en vandaag duurt het drie tot vijf jaar voor de knoop doorgehakt wordt. Als de biologische klok de beslissing al niet in jouw plaats genomen heeft. Mijn steun heb je.

Het moge raar klinken, maar ik kan en wens niet al mijn energie te investeren in het opvoeden van kinderen. Als ze er zijn, moet je er helemaal voor gaan, dan moet je er voor hen zijn. Ik noem mijn levenshouding dus niet egoïstisch, maar realistisch: zo bespaar ik mijn eventuele kinderen de ellende en het gemis van te weinig aandacht en een minder dan perfecte opvoeding.

Binnenkort krijgen Els en Julie misschien kleinkinderen. Het resultaat van de beslissing van mijn man en mezelf om niet aan kinderen te beginnen, is dat wij zelf nooit kleinkinderen zullen hebben. Als ik heel eerlijk ben, moet ik toegeven dat ik dat wel een beetje jammer *vind. Kleinkinderen hebben is de meest vrijblijvende versie van kinderen hebben. Ze komen alleen als jij daar zin in hebt, ze blijven nooit te lang, omdat ze er niet altijd zijn, ben je er helemaal voor ze, op die momenten dat ze er zijn, je doet leuke dingen met ze, en ... je hoeft ze niets te verbieden. De opvoedfunctie valt weg.*

Toen ik als klein meisje ging logeren bij mijn oma, had

Peuters worden hongerig en met een volle luier bij oma gedropt.

ik het al heel snel door. Vroeg ik een snoepje, een koekje, een bepaald spelletje of gelijk wat, het ant-woord was steeds: "Van Oma mag ze ... ALLES".

Dit is de theorie. In de praktijk hoor je meer en meer verhalen over overspannen full time grootou-ders die van maandag tot vrijdag oppassen op de zoon van hun oudste dochter, de dochters van hun ex-schoonzoon, de kleinzoon van hun nieuwe partner, en ga zo maar door.

Peuters worden hongerig en met een volle luier bij oma gedropt, iets dat een ouder op school niet zou durven, maar hoe ging het ook weer... oh ja, bij Oma mocht toch alles?

Mijn moeder heeft het lang jammer gevonden dat ik geen kinderen wilde. Tot ze me een paar jaar terug zei, "Ik vind het wel prettig hoor zo, vooral als ik mijn vriendinnen soms bezig hoor die onderhand bijna 70 zijn, maar weer volop tussen de luiers en de snotneuzen zitten. Begin er alsjeblieft niet meer aan."

Voorlopig zien wij het niet als een gemis. Mijn man en ik hebben alle twee massa's hobby's, we houden van spontaneïteit. Lege koelkast, restaurants zat, zonder dat we een babysit moeten bellen. Nee, vervelen doen we ons nooit. En wij zullen op onze oude dag wel met ons tweetjes naar de dierentuin gaan.

In America there are two classes of travel - first class, and with children. -Robert Benchley

---

Iedereen kent deze grapjes, iedereen maakt ze voortdurend, je kunt ook moeilijk anders, want eens in het gezelschap van kinderen is er genoeg gelegenheid om leuk uit de hoek te komen.

Als je zo'n grapje maakt wanneer de ouders het horen, dan valt er wel eens een ongemakkelijke stilte, alsof het doorknippen van de navelstreng bij hen meteen ook het gevoel voor humor verwijderde. Dat is helemaal niet erg, dat ouders soms wat verveeld, gegeneerd of afgewezen reageren als een opmerking hun kinderen viseert, het is best begrijpelijk. Wie zegt dat ik anders zou reageren als mijn kinderen een gemakkelijk mikpunt zouden zijn voor een cynische grap?

Soms spreek ik af met vriendinnen-met-kinderen, liefst allemaal samen, dan hebben we dat weer gehad. Volgende keer als ik met hen afspreek, is het voor een lunch op een werkdag, dan zijn de kinderen er niet bij en kunnen we heerlijk kletsen en wordt het gesprek niet voortdurend afgeleid.

M'n vrienden met kinderen zie ik minder vaak dan m'n - talrijker - vrienden zonder kinderen. Dat is heus niet altijd zo omdat vrienden met kinderen minder tijd hebben en ik andere prioriteiten heb. Mensen met kinderen trekken nu eenmaal vaker op met lotgenoten, net zoals ik liever met mensen praat die het per definitie niet over kinderen willen hebben.

Sinds de eeuwwisseling is de tendens nog duidelijker. Er zijn meer vrouwen, mannen en koppels zonder kinderen, dus het wordt makkelijker om een vriendenkring uit te bouwen waarin kinderen niet langer de storende, of alleszins overheersende factor zijn.

Zou ik me generen om zoiets te zeggen? Tien jaar geleden wel, maar vandaag niet meer, want de met fluweel beklede harde hand die een vrouw richting kindrijk gezin duwde is vandaag zowat verdwenen. Vandaag kan ik gewoon tegen iemand zeggen: 'Als we afspreken vanavond, wat doe je dan met de kinderen?' Mijn vrienden kennen me ondertussen, ze weten dat ik het niet slecht bedoel, integendeel, daarna bedanken ze me dat ze een babysit geregeld hebben 'om mij plezier te doen.' Ja hoor ☺

Gezinnen zonder kinderen zijn net iets meer tevreden

Driekwart van de vrouwen noemt zichzelf en hun gezin gelukkig, hoewel ze vaak kampen met stress door de combinatie werk en gezin. Dat zijn enkele van de belangrijkste conclusies van de Comeva-bevraging over het gezin (2007). Bij de 17.000 ondervraagden waren 690 mannen. Uit dat onderzoek blijkt dat liefst 75 procent van de gezinnen over het algemeen gelukkig is. Koppels zonder kinderen zijn nog iets meer tevreden (82 procent), single mama's net iets minder (72 procent). De grote meerderheid van de gezinnen omschrijft zichzelf als "open, warme en respectvolle gezinnen". Merkwaardig is dat meer dan de helft van de gezinnen een beetje tot veel conflict binnen het gezin vermeldt. Het gezinsgeluk wordt ook verstoord door de moeilijke combinatie tussen werk en gezin. Liefst 82 procent van de ondervraagden heeft daardoor stress. Bijna één op de drie gezinnen is ook ontevreden over de taakverdeling binnen het gezin. Koppels zonder kinderen blijken hier wel minder problemen mee te hebben dan koppels met kinderen of nieuw samengestelde gezinnen.

Comeva is het gezamenlijke project van de magazines *Libelle, Flair, Feeling, Evita, GLAM*IT* en *Vitaya Magazine*.

Mannen zonder kinderen zijn vaker gelukkig

Vaders hebben hogere inkomens dan mannen zonder kinderen, maar zijn minder gelukkig. Tot deze conclusie kwam Renske Keizer van het demografisch instituut NIDI in Den Haag. Kort-om: ben je als vrouw op zoek naar een rijke vent (of een rijkere), dan moet je een vent met een kinderwens aan de haak slaan. Maar wil je een gelukkige man, dan is een kinderloos exemplaar een betere optie.

Vaders verdienen gemiddeld 6 procent meer dan kinderloze mannen. Dat mannen zonder kinderen het economisch slechter doen, komt volgens de sociologe vooral doordat vaders vaak kostwinners zijn en daarom een grotere ambitie hebben om meer geld in het laatje te brengen.

Keizer gebruikte voor haar onderzoek een bestaande databank met demografische gegevens; de Nederlandse Kinship Panel Study. Hieruit lichtte zij bijna 1500 mannen in de leeftijd van 40 tot 50 jaar. "Kinderloosheid bij mannen is tot nu toe nauwelijks onderzocht", zei Keizer. Van het al dan niet krijgen van kinderen wordt vaak gedacht dat het veel meer impact heeft op het leven van een vrouw, dan op dat van een man. "Ten onrechte", vindt de jonge promovenda, die heel veel onderzoek doet naar dit onderwerp.

De mannen die Keizer bestudeerde, hadden een vragenlijst ingevuld waaruit bleek hoe gelukkig zij zich voelden. Kinderloze mannen zijn een fractie gelukkiger dan vaders, was de uitkomst. Volgens de wetenschapster hebben mannen met kinderen over het algemeen minder tijd voor zichzelf en hun partner, wat zij als negatief ervaren. Ten slotte bleek uit het onderzoek dat vaders meer betrokken zijn bij de gemeenschap. Zo hebben zij meer contact met hun familie, buren en sportverenigingen. Volgens Keizer ligt de oorzaak voor de hand. "Dat ligt aan de kinderen. Doordat zij naar school gaan en bijvoorbeeld op een sportclub zitten, komen vaders vaak ook op deze plaatsen." Ook de moeder, die bij het overgrote deel van de ondervraagde vaders in beeld was, speelt hierbij volgens de onderzoekster een grote rol: "Vrouwen steken over het algemeen meer tijd in het onderhouden van de sociale contacten."
ANP, 2009

Na het lezen van flink wat artikels en statistieken viel het me in dat blijkbaar iedereen kan zeggen of hij dan wel zij gelukkig is, doch het heel wat moeilijker krijgt om uit leggen waarom dat dan wel zo is. Volgens mijn bescheiden mening bestaan er heel wat misverstanden rond dat 'gelukkig zijn'.

Als ik met dit boek een bijdrage mag leveren tot meer geluk in deze maatschappij, dan zij het zo ☺ Mij lijkt het alvast dat het hebben van kinderen niet langer synoniem is voor een groter geluk, als het al ooit zo geweest is. Met de groeiende onzekerheid in deze maatschappij groeit ook de moeilijkheid om te omschrijven wat geluk is en waardoor het wordt veroorzaakt. Je leert het niet op school, ouders proberen het hun kinderen bij te brengen, doch weten zelden hoe.

> **'De eerste helft van ons leven wordt bedorven door onze ouders en de tweede helft door onze kinderen.'**
> *-Clarence Darrow*

Kinderen maken niet altijd gelukkig, als conclusie is het duidelijk. Geluk is de mate waarin een mens voldoening schept in zijn of haar leven als geheel

'Heb je nog steeds geen kinderen? Meid, je moet wel opschieten! Je weet niet wat je mist.'

(Citaat: Professor Ruut Veenhoven). De tevredenheid van echtparen daalt na de geboorte van kinderen en komt pas op hetzelfde niveau nadat de kinderen het ouderlijk huis verlaten hebben. Veel jonge ouders ervaren naast het geluk van het ouderschap ook de harde realiteit.

Ik ben heel gelukkig en daar hoef ik me niet voor te schamen. Ik ben dol op kinderen, ik kan goed met ze opschieten maar ik heb geen behoefte om ze zelf te hebben: mijn leven draait rond m'n baan als stadsgids, m'n man en al m'n hobby's. Soms krijg ik wel eens jaloerse opmerkingen, gevolgd door de opmerking: 'Heb je nog steeds geen kinderen? Meid, je moet wel opschieten! Je weet niet wat je mist.'

Nou, voor eens en voor altijd: ik weet precies wat ik mis ☺

INTERVIEW

'Verhuizen naar Spanje? Waarom niet.'
Anja (56)

'Het is allemaal zo snel gegaan. Binnenkort word ik 56, en eigenlijk zou ik al grootmoeder kunnen zijn,' vertelt Magda. Zij en Jaak (59) zijn al bijna 30 jaar getrouwd.

'Ik ben er lang van uitgegaan dat Patrick, onze zoon, hier op een dag voor de deur zou staan met de aankondiging dat er een kleinkind onderweg was. Toen hij Jaak en mij zei dat hij geen kinderen wilde, en iets had laten doen zodat er nooit geen kinderen zouden komen, was ik teleurgesteld, en Jaak kwaad. Jaak was echt boos. Hij heeft letterlijk tegen onze zoon gezegd: "Dat is met al die flirts, jij wilt geen risico nemen op een vaste relatie en kinderen." Ik denk dat Jaak gelijk had, maar dan is het nog Patricks leven en beslissing. Zelf vond ik het jammer, toen, geen kleinkinderen, nooit. Ik was nog niet eens vijftig.'

'De dag dat Patrick op kamers ging, voor z'n studie als Burgerlijk Ingenieur, dat was zwaar. Ik wist dat hij daarna niet meer naar huis zou komen, dat voelde ik eigenlijk wel aan. Vanaf die dag ben ik niet meer bij de pakken blijven zitten. Gelukkig is er in m'n stad heel veel te doen, meer dan ik wist. Ik dacht dat vooral de jongeren aan hun trekken komen als het op activiteiten aankomt. Voor mensen van mijn leeftijd is er elke week wel iets. Ik bijt me vast in twee cursussen, één ervan is uiteraard computer en e-mail. De andere is Spaans, om te leren converseren. En op woensdag gaan mijn man en ik lunchen. Elke woensdag.'

'Patrick zien we weinig. Hij is piloot, voor een buitenlandse maatschappij. Als hij in het land is, en ik ben bezet, dan maak ik me vrij. Als hij zelf tijd heeft natuurlijk. Patrick is nog altijd niet getrouwd, en hij heeft het heel erg druk. Hij woont zowel in Duitsland als in Brussel.'

'Iedereen zegt dat het sneller en sneller vooruit gaat, de tijd, met ouder te worden. Ik heb mezelf in ieder geval heel veel werk gegeven. Mijn leven draait niet rond mijn kind, zo blijkt. Het duurt soms enkele maanden voor Patrick en ik elkaar opnieuw zien, en dan kletsen we fijn bij. Ik denk er nu aan om ergens wat te gaan werken, een paar uur per dag. In een sociale instelling in de buurt zoeken ze iemand, als vrijwilliger, om in de keuken te helpen. Dat lijkt me wel wat.'

'Nu ben ik eigenlijk blij dat er geen kleinkinderen zijn, echt.

'Om contact te houden met Patrick is er e-mail, en op mijn nieuwe cursus ga ik leren Skypen. Skype is een programma op mijn PC, waarmee ik kan gratis telefoneren met het buitenland. Jaak installeerde voor mijn 55e verjaardag een camera op mijn PC, die zal ik kunnen gebruiken. Dan is het zelfs een beetje alsof Patrick hier is, in dezelfde kamer. Mijn zoon is daar allemaal veel beter mee weg dan ik. Hij heeft zelfs een gsm met camera.'

'Nu ben ik eigenlijk blij dat er geen kleinkinderen zijn, echt. Zowel mijn vriendin Jacky, als m'n twee andere vriendinnen Hanne en Mora, zijn voortdurend in de weer met de kleinkinderen. Hanne heeft zelfs een andere, grotere auto moeten kopen om de kleinkinderen van school te kunnen afhalen. Niet dat ze het zich niet kan veroorloven. Voor Jaak en mij is dat een ander verhaal. Ik heb nooit gewerkt, en Jaak is op brugpensioen. Dat is niet altijd even gemakkelijk, en onze levenskwaliteit zou er op achteruit gaan. Daarom dat we onze momenten kiezen, zoals woensdagmiddag. Elke week in een ander, gezellig restaurant.'

'Toen ik vorig jaar een verjaardagsfeestje gaf, had m'n buurvrouw en vriendin Hanne één van haar klein-kinderen bij. Elke maandag-, dinsdag- en donderdag is zij 'van dienst' om ze van school te gaan halen. Eén van de drie kindjes is nog maar 4 jaar oud, en ze wilde het niet alleen laten. Een lief kind hoor, Lotje, maar dat hele verjaardagsfeestje ging het alleen maar over haar. Ze eiste alle aandacht op. Dat was dus geen succes. En dan was het nog niet eens mijn kleinkind. Toen is het me echt duidelijk geworden. Het nest is leeg, en het blijft leeg.'

'Dit jaar gaan we in de winter, op aanraden van vrienden van Jaak, drie weken naar de Costa del Sol. Daarom ben ik alvast begonnen met een cursus Spaans. Wellicht belanden we deze woensdag dus in een tapas-bar, en probeer ik in het Spaans te bestellen. Als de reis naar Benidorm meevalt, sluit ik niet uit dat we het jaar daarna voor een langere periode gaan. Ver-huizen naar Spanje, en ons daar definitief vestigen? Waarom niet. Het zou kunnen, we hebben hier immers geen verplichtingen. En onze Patrick, die vliegt dan maar naar Benidorm!'

Verwachtingen

Vanuit die specifieke, heel concrete en ook dramatische situatie komen we vanzelf bij het algemene thema verwachtingen en de rol die ze in je relatie spelen.

Laten we maar beginnen met een sterk statement: verwachtingen vormen een sterke bedreiging voor een liefdevolle relatie. Verwachtingen zijn namelijk het tegengestelde van aanvaarding zoals iemand is. Verwachtingen zijn projecties op de ander.

De mens is bij een uitstek een wezen met een uitgebreide tijdshorizon. Hij leeft niet uitsluitend in het nu. Niet alleen ondergaan we de echo van het verleden, maar ook hebben we hoop, wensen, verwachtingen en angsten over de toekomst. Zo ook over onze relatie. Natuurlijk is het je recht om bepaalde eisen te stellen aan een relatie en aan wat jij van een partner in het algemeen verwacht. Maar in hoeverre is het liefdevol om je patroon op te leggen aan je partner? We bevinden ons hier op een dunne evenwichtsbalk tussen het modelleren van je partner en het ondersteunen van zijn of haar ontwikkeling. Ga je uit van een ideaalbeeld en wil je dat je relatie daar naar toe groeit of zoek je net zolang tot je iemand vindt die aan je ideaal aan voldoet? Beide strategieën geven aanleiding tot frustratie.

Wie voortdurend met een ideaalbeeld voor ogen naar een relatie kijkt, zal zich snel gaan ergeren aan alle onvolmaaktheden van de ander en misschien blind blijven voor de eigen imperfectie. Als je even kijkt naar jezelf, zul je die imperfecties niet zien, of minimaliseren of nog met de mantel der liefde bedekken, want als geheel ben je een leuk mens. Je hebt gelijk. Maar de ander denkt precies zo over zichzelf. Hoe frustrerend is het dan om door diegene die je het liefst ziet er (herhaaldelijk) op gewezen te worden dat je niet perfect bent, dat je niet voldoet aan een of ander ideaalbeeld. Dat je niet beantwoordt aan de verwachting. Hoe denk je dat iemand daar op de duur op gaat reageren? Met liefde? In geen geval. In het beste geval krijgt zijn of haar zelfvertrouwen een deuk en krijg je een aangepaste, maar gebroken versie, iemand die zoveel van je houdt dat hij of zij zichzelf ervoor wil opgeven. Iemand die voortdurend meer angst voor je voelt dan liefde. In het slechtste geval ben je de ander kwijt.

Als je alleen maar genoegen neemt met de ideale partner, dan hoop ik dat je niet te kritisch bent, want het ideaal bestaat niet.

Als je alleen maar genoegen neemt met de ideale partner, dan hoop ik dat je niet te kritisch bent, want het ideaal bestaat niet. De spanning van een relatie zit ook in de verschillen, het onverwachte, het anders zijn van de ander. Je ziet vaak in de praktijk dat hoe langer iemand vrijgezel is, hoe moeilijker het wordt om een relatie aan te gaan. Natuurlijk mag je kritisch zijn en moet je niet in elke relatie die zich aandient stappen, want dan hou je meer van het bemind worden op zich, van de aandacht, dan dat je bezig bent met wat je zelf zoekt in een relatie. Het is helemaal niet verkeerd om eisen te stellen aan wat je van een partner verlangt. Zelfs mag je de lat hoog leggen, maar een relatie is een tweewegsstraat en een levend geheel. Een relatie moet een basis hebben om op te bouwen, maar de rest is een avontuur binnen bepaalde grenzen. Als je die grenzen heel strikt stelt, dan is er weinig bewegingsruimte en ontstaat er een kader dat vroeg of laat verstikkend moet werken, niet alleen voor de ander, maar ook voor jou.

Voor de verwachtingen die je binnen alle redelijkheid wel hebt, geldt dat ze naast redelijk, ook duidelijk, gecommuniceerd en stabiel moeten zijn.

Dat ze redelijk moeten zijn, spreekt voor zich, maar wat is redelijk? Een goede leidraad is: zou je het ook redelijk vinden als de ander hetzelfde van jou zou verwachten? In dat geval zit je goed. Zo niet, kijk dan maar eens heel goed naar jezelf.

Even tussen ons. Vaak is het grootste probleem niet eens de redelijkheid van de verwachtingen. Bij problemen ligt de kern van de zaak meestal bij de duidelijkheid ervan. Laten we dan al maar beginnen bij de duidelijkheid voor diegene die de verwachting ontwikkelt. Het is niet abnormaal dat die verwachting voor de persoon zelf niet goed geformuleerd is. Meer nog, het moet je niet verbazen als je je niet eens bewust bent van de verwachtingen die je hebt. Weet jij echt wat je wilt van de andere? Zo'n gewetensonderzoek is daarom een mooi vertrekpunt. Zelfonderzoek is de eerste stap. Want als je zelf niet weet of kunt verwoorden wat jij wenst, hoe kun je dan verwachten dat je partner het ooit te weten komt, laat staan dat hij of zij eraan kan voldoen? Als hij of zij dan maar moet gokken wat je verwacht, krijg je alleen maar frustratie en ontgoocheling.

Vervolgens komt dan de stap dat je de wederzijdse verwachtingen naar elkaar uitspreekt. Wederzijds is daarbij het ontnuchterende sleutelwoord. Hopelijk is dit voor jou geen schokkende ontdekking. Je zou er toch wel eens zenuwachtig van kunnen worden dat de ander ook wensen en verlangens heeft over een relatie en een partner, over jou dus. In dat gesprek vormt het constructief luisteren het belangrijkste succeselement. Zorg ervoor dat jullie beiden bereid zijn te luisteren naar de wensen van de ander. Zie dit niet als een kritiek op het verleden, maar als een bouwsteen voor de toekomst.

Het laatste element is dat verwachtingen stabiel moeten zijn. In een laboratorium hebben ze ooit experimenten uitgevoerd met ratten. Normaal kijken ze wat zo'n dier kan of leren ze dieren in zulke proeven een bepaald gedrag. Bijvoorbeeld testen ze dan of ratten kleuren kunnen zien. Als ze een blauw knopje aanraken, krijgen ze eten, als ze tegen een rode knop aanlopen krijgen ze een lichte schok. Door de knoppen van plaats te verwisselen, kunnen ze dan kijken of ratten rood en blauw kunnen onderscheiden.

Tijdens dit experiment echter werden beloningen en straffen geheel willekeurig uitgedeeld. De rat probeerde van alles om het eten te pakken te krijgen en werd soms beloond en soms gestraft en soms gebeurde er niets. Na een tijdje gingen de ratten waarop deze willekeur werd toegepast angstig in een hoekje zitten en deden niets meer. Ze waren verlamd van angst.

Als onze partner in onze wensen en verlangens geen patroon kan ontdekken waardoor hij of zij goed weet wat jij waardeert en wat niet, als je zelf dat patroon niet aangeeft, dan zal je partner besluiten niets meer te doen 'want het is toch nooit goed'. Omgekeerd, als je merkt dat je partner geen initiatieven neemt, apatisch afwacht, dan is het misschien eens tijd om te kijken of je verwachtingen wel voorspelbaar en consistent waren in het verleden. Help je partner dan om die patronen te ontdekken en beloon hem of haar overvloedig als het de juiste richting uitgaat. Ik zou deze paragraaf 100 keer willen opschrijven om het belang ervan aan te tonen. Het verdient tien pagina's te vullen in plaats van een stukje waar je overheen zou kunnen lezen.

Waarom wil jij geen kinderen?

K an ik het uitleggen, waarom ik geen kinderen wil? Ja, natuurlijk. Ga er even voor zitten, heb je een uurtje of twee? Zelfs voor iemand die zo overtuigd is als ik en die zo gemakkelijk uit haar woorden komt, zelfs voor iemand die in de zalige situatie verkeerd van een gemakkelijke en evidente beslissing genomen te hebben en er nooit spijt van gehad te hebben, is het niet zo evident om er een verklaring voor te geven.

Het meest gehoorde 'verwijt' is egoïsme. Je denkt niet aan je ongeboren kinderen, die ook rechten *hebben, dus je bent een egoïst. Je denkt enkel aan je eigen geluk, dus je bent een egoïst. Zelfs als de vrouw in kwestie vaak aan vrijwilligerswerk doet, een full-time baan heeft en een echtgenoot die handelt alsof hij een groot kind is, dan nog krijgt een vrouw dat verwijt, als zij kinderen kan krijgen en er na haar 30 nog geen heeft.*

Weten de mensen veel dat het de man is die de beslissing genomen heeft? Weten de mensen veel dat de vrouw heel veel moeite heeft moeten doen om haar baan te krijgen en lang onderweg is van en naar het werk? Weten de mensen veel dat jouw relatie de extra stress en druk van een kind niet aankan of dat jullie het niet kunnen betalen, die extra monden?

Trouwens dat egoïsme, daar wil ik het even over hebben. Veel mensen vinden het egoïstisch wanneer iemand bewust geen kinderen neemt want 'die denkt ook alleen maar aan zichzelf en haar luxe leventje'. Zal ik voor de lol het verhaal eens omdraaien? Iemand die kinderen neemt, die is pas egoïstisch. Welke embryo vroeg om geboren te worden? Je maakt kinderen toch omdat je die zelf wilt, ja jij zelf. Is dat dan misschien niet egoïstisch? In deze maatschappij met stijgende criminaliteit, stijgende werkloosheid, meer en meer verzuring, ontbossing, uitputting van natuurlijke stoffen en global warming? In welke wereld zet jij een kind?

Een hard oordeel uitspreken over een ander is vandaag de dag zowat de meest beoefende hobby, want
dan hoeven mensen niet over zichzelf na te denken.
Veel mensen willen dat een ander ook kinderen
neemt omdat ze er zelf misschien spijt van hebben,
omdat ze nooit meer tijd voor zichzelf hebben, omdat

"Ik ben gek op mijn kinderen, maar als ik het van tevoren had geweten, was ik er NOOIT aan begonnen ..."

ze jou die vrijheid en energie niet gunnen, omdat ze
jaloers zijn op jou? Ik heb een vriendin die eens heel
emotioneel uitbarstte "Ik ben gek op mijn kinderen,
maar als ik het van tevoren had geweten, was ik er
NOOIT aan begonnen ..."

Daar schrok ik toch wel even van. Ik polste bij meerdere moeders of zij dit gevoel wel eens hadden. Allemaal, allemaal (behalve eentje, lieve Els) gaven dit
volmondig toe.

Kinderen opvoeden kost veel tijd en energie, dat
hoort een twijfelende vrouw van haar vriendinnen,
moeder, schoonmoeder en collega's. Toch mag dat
dan volgens dezelfde bronnen niet de reden zijn
waarom je afziet van kindergeluk, neen, de echte

reden moet dieper zitten, meer verheven zijn, want een gezin is nu eenmaal het lot van alle, dan toch veel vrouwen.

Mij verbaast het niet meer, maar wie overweegt om kindervrij te leven, zal vaak geconfronteerd worden met de slogan 'Jij bent slecht bezig, anti-vooruitgang, anti-maatschappelijk, anti-sociaal.' Er is nog een groot verschil tussen twijfelen - dan houd je gewoon je vrienden - en luid verkondigen dat je het licht gezien hebt: jij blijft de rest van je leven kindervrij. Voor je het weet, raak je in een sociaal isolement. Mij is het al een paar keer overkomen dat een kennis me haar laatste aanwinst in de handen duwt, rekenend op aanbidding en verering, vervolgens teleurgesteld door de lauwe reactie en tenslotte boos omwille van de grapjes.

De sketch gaat ongeveer als volgt: 'Ooooh wat is ie schattig! Hopelijk houd zijn gekrijs jou niet de hele nacht wakker? Zeg, ik wil heus vrienden met je blijven, nu je moeder bent, maar vind je het erg om de volgende twintig jaar nooit over jouw baby te beginnen praten tenzij ik er zelf om vraag? Grapje! Hahaha. Hoezo, je vind het niet grappig. Wist je niet dat mijn man en ik kindervrij leven? Ah, die term kende je nog niet. Nou, wij zijn zo gelukkig samen dat we geen kinderen nodig hebben om dat geluk te verstoren. Wat, moet je alweer vertrekken? Je bent hier pas vijf minuten. Jaja, ik begrijp het wel, de baby moet slapen/eten/verschoond/(vul zelf in).'

Een verklaring die ik zelf wel eens gebruik - meer als dooddoener dan als valabel argument - is dat er met zes miljard mensen op deze aarde ongeveer evenveel redenen zijn om geen kinderen te maken. We zijn namelijk al met twee of drie miljard teveel. 'Het is jouw kind dat egoïstisch is zonder het zelf te weten, en jij dus eigenlijk ook, om er eentje te maken, want nu hij er is, hebben 37 mensen geen eten in Afrika.' Gegarandeerd is de avond verpest.

Een dooddoener die in gesprekken met mij vaak aan bod komt, is dat de samenleving zal uitsterven 'dankzij' mensen als ik, zonder nageslacht. Daarop mag ik dan graag antwoorden dat het hoog tijd is dat de stal uitgekuist wordt en bovendien, is de wereld wel gediend met mijn nageslacht. De echte reden blijft onuitgesproken, namelijk het pessimisme dat me af en toe toch overvalt: waar gaat het met deze wereld naartoe? Is dit wel een plaats voor kinderen?

Dat bepaalde continenten in hun geheel geen plaats zijn om baby's op te voeden, hoeft nauwelijks betoog. Kijk naar het nieuws en je weet waarom. Jammer genoeg gaat het ook de beschaafde wereld minder en minder goed: steeds meer mensen leven met het bestaansminimum, er zijn de onzekerheid, de

Als ik geen kind wil, is dat mijn eigen keuze, maar ook een beetje uit respect voor dat kind.

verzuring, de onveiligheid. Ik zie vrijwillig af van kinderen en beschouw dat als mijn bijdrage aan deze planeet: ik laat in het midden of de bijdrage waardevol dan wel zinvol is, maar ik ben er van overtuigd dat het initiatief navolging verdient.

Deze wereld kan niet zonder kinderen, maar helaas is deze wereld er minder en minder eentje die je wilt belonen met kinderen. Op zijn twaalfde moet een kind al volwassenen zijn, alles weten, alles kunnen. Ik ben blij dat ik vandaag geen kind heb en ik ben blij dat ik vandaag geen kind ben. Als ik geen kind wil, is dat mijn eigen keuze, maar ook een beetje uit respect voor dat kind.

Nog zo'n - zogezegd twijfelachtige - reden waarom je geen kind zou willen, is de kost. Het mag waar zijn, het mag je 's nachts uit je bed houden, maar wie durft er zeggen dat er geen kinderen zijn omdat je ze niet kunt betalen.

'Werk dan wat harder, als je werkelijk kinderen wilt!'

Wat kost een kind?

Van de geboorte tot aan het twaalfde levens-
jaar kost een kind ongeveer Ð 51.840. Hiervan
gaat al zo'n € 1.500 op aan luiers! Gemiddeld
wordt 19% van het huishoudbudget opgeslokt
door de komst van een kind. Komt er ondertussen een tweede kind bij dan zullen de kinderen
samen circa 27% van het inkomen opsouperen.
Wanneer het kind vervolgens naar de middelbare school gaat zal er gemiddeld nog eens een
slordige € 28.600 bijkomen. De middelbare
school is een behoorlijk stukje duurder dan de
lagere school, immers geen uitstapjes meer
naar het sprookjesbos maar er moet nu geskied
worden... Gaat de kleine Einstein ook nog studeren zal er nog eens € 30.500 bijkomen
(indien er nog steeds een studiefinancierings-
regeling is). Dit levert een totale kostenpost op
van wieg tot bul van tenminste € 110.940.

Leuk om te weten... naar mate het inkomen
van de ouders hoger is, zullen de bestedingen
aan het kind ook hoger uitpakken.

Uit: Wat kost een kind? Meer dan een ton!
AD Geld & Recht, 20 september 2007

Kun je zeggen dat je geen kinderen wilt, omdat je weet dat je een boel van je vrienden zal verliezen? Niet echt. Heeft iemand er een boodschap aan dat ik het niet zie zitten dat mijn toekomstige vrienden-kring zal bestaan uit de ouders van de vriendjes van mijn kinderen?

Mag ik bovendien opbiechten dat ik geen kinderen wil omdat alle vakanties dan in het teken van de kleine zullen staan? Tegenwoordig zijn er vakantieoorden voor kindervrije koppels, een ware droom voor mensen met kinderen die een keer willen ontsnappen uiteraard.

Toegegeven, vroeger was het betrekkelijk eenvoudig: man of vrouw, je trouwde, je kreeg kinderen, je ging dood. Nu heeft de vrouw meer vrijheid om haar keuzes te overdenken, over wat zij wil als vrouw, als echtgenote, als werknemer of ondernemer. In de supermarkt is het net zo: meer keuze betekent een moeilijker keuze en dus vaker een slechte keuze.

Om te vermijden dat uitstel afstel wordt, moet een mens z'n instincten en ambities nuchter inventarise-ren. Emoties zijn leuk maar niet altijd even nuttig. Denk je dat jouw kinderwens de jouwe is, of die van je eigen moeder/grootmoeder/familie/parter/'all of the above'? Wil je een kind om erbij te horen, om te zijn zoals jouw vriendinnen, die gelukkig zijn met hun kroost of veel te goed doen alsof?

Een vrouw heeft nog extra complicerende factor: haar lichaam verandert na de zwangerschap, haar geest verandert en evolueert, misschien speelt de ongerustheid om minder verleidelijk te zijn een rol.

Kortom, er spelen tientallen redenen en verklaringen mee. Het is zaak om het krijgen van een kind met de nodige nuchterheid en zelfs zakelijkheid te bekijken. Is jouw relatie er klaar voor? Ben jij er klaar voor?

'Why not?'

Als reden van vrijwillige kinderloosheid wordt door vrouwen van 26 tot en met 45 jaar onder meer genoemd dat kinderen de vrijheid belemmeren, dat kinderen opvoeden veel tijd en energie kost, dat de partner geen kinderen wil en dat werken en kinderen moeilijk zijn te combineren. De belangrijkste reden voor vrijwillige kinderloosheid is het feit dat kinderen de vrijheid belemmeren.

Bron: Vruchtbaarheid in de twintigste eeuw.
Arie de Graaf. Centraal Bureau voor de Statistiek

De moeilijkste reden die je kunt hebben -waarom wil ik geen kinderen- zijn de redenen in de familiale en medische sfeer. Een vrouw of man kan in z'n jeugd misbruikt of mishandeld zijn, een vrouw kan jarenlange en tevergeefse behandelingen ondergaan en ondertussen aan iedereen zeggen dat ze geen kinderen wil, terwijl het in werkelijkheid de natuur is die beslist. Daar sta ik dan met mijn advies: 'Leef je leven voor jezelf.' Je wilt wel, maar je kunt niet, omdat andere mensen of krachten in jouw plaats beslisten.

Het leven gaat voort, elke keer als je van een vriendin of nicht of collega hoort dat ze zwanger is, zal je droevig zijn en de hele geschiedenis weer oprakelen. Definitief de droom opgeven is wellicht het moeilijkste dat je in je hele leven zal doen. De dag dat je er klaar voor bent, hoop ik dat je dit boek opnieuw zult opnemen.

Mijn man en ik hebben het goed samen, even goed als twee partners die tevergeefs kinderen proberen te krijgen. Hopelijk wordt de relatie sterker tijdens de jarenlange onderneming, je maakt veel tijd voor elkaar. Weliswaar mis je het kind dat er niet is, je wordt overal geconfronteerd met zwangere vrouwen in reclame en films, doch evengoed besef je dat jouw gesprekken met vrienden, collega's en kennissen een andere dimensie hebben, soms zelf meer diepgang, want het hoeft niet altijd over kinderen te gaan.

Mijn advies is alvast om pas te stoppen met proberen als je zeker bent dat je geen kinderen wilt. Anders blijf je daarna twijfelen.

Hoe je zo ver kunt komen, dat 'zeker zijn dat je geen kinderen wilt'? Praten met vrienden, vreemden en specialisten. Lees boeken, tijdschriften en forums. Als je niet kunt beslissen, dan beschik je niet over voldoende informatie.

Volg je gevoel, volg je hart, tot op een dag jouw verstand en logica het overnemen.

Volg je gevoel, volg je hart, tot op een dag jouw verstand en logica het overnemen. Op een dag komt er een einde aan het hopen en proberen en verlangen. Die dag moet je jezelf gunnen. Daarna zal de kinderwens er nog altijd zijn, er zullen moeilijke dagen en nachten zijn, maar plots zal je de rust vinden.

Omring je niet met mensen die niet kunnen of willen stoppen. Blijf na enkele jaren weg van mensen die nog in behandeling zijn. Creëer voor jezelf de omgeving waarin het mogelijk is om in alle rust samen tot een besluit te komen. Zorg dat het geluk in de relatie nooit onder het hele proces kan lijden, zorg dat jij en je partner niet verbitterd blijven.

Na de beslissing zullen de golven wellicht nog maanden of zelfs jaren lang woelig blijven. Probeer positief ingesteld te zijn, zodat jouw familie en vrienden jou kunnen helpen. Als er sociale druk is, trek je er dan niets van aan. Het leven met je partner is de moeite waard.

Conflicten

M et of zonder kinderen, relaties zijn alleen bij uitzondering voor het hele leven. De paren die hun leven lang bij elkaar blijven, hebben elkaar vaak pas in het bejaardenhuis ontmoet. Een lange, monogame relatie blijft de uitzondering op de regel. Helaas, want elke zijsprong of uit elkaar gaan wordt veroorzaakt of gaat gepaard met emotionele leegte of pijn. Ook in een fantastische relatie is het ontstaan van conflicten onvermijdelijk. Alleen tussen twee zombies of mensen zonder persoonlijkheid heb je alleen maar harmonie. Conflicten kun je echter beheersen. Je kunt ervoor zorgen dat een meningsverschil niet uit de hand hoeft te lopen. Dit vergt bijzondere aandacht omdat je per definitie een sterke emotionele band hebt met je geliefde en emoties zetten verschillen van mening nu eenmaal op scherp. Conflicten worden dan moeilijk te beheersen omdat de uitbarsting zo heftig is, de betrokkenheid zo groot, de emotie zo aanwezig. Hoe liever je elkaar ziet, hoe kwetsbaarder je bent, hoe pijnlijker het conflict. De kunst is om het conflict te beheersen. Dat moet leiden tot een verbetering van je relatie omdat een ruzie onvermijdelijk een wonde maakt, een kras die een permanent litteken kan geven. Daarom hoeft een conflict niet perse uit te monden in een ruzie. Een conflict is niet noodzakelijk iets om uit de weg te gaan, het hoeft ook niet iets zijn wat je moet vermijden. Je moet wel het onderliggende conflict aanpakken. Daar dient dit hoofdstuk voor.

Maar laten we even terugkeren naar ons uitgangspunt dat we je wel een fantastische levenslange relatie wensen, maar dat de realiteit zegt dat dit eerder uitzondering is dan regel. Als je de illusie van een stabiele relatie opgeeft, betekent dit niet dat je al moet vooruit lopen op het mislukken ervan. Dat zou het gegarandeerde recept zijn om dat falen over je af te roepen want in een relatie kun je niet berekenend te werk gaan, tenminste niet met een volwaardige partner. Als je er niet voor gaat, kun je beter niets doen. In ieder geval heb je jezelf dan niets te verwijten als je er 100% voor gaat.

Zorg er ook voor dat je niet telkens je vorige relatie beleeft. Het is unfair ten opzichte van je nieuwe partner om hem of haar te beladen met de perikelen van je vorige relatie. Je mag niet verwachten van de ander om de strijd aan te gaan met de geesten van het verleden. Die moet je zelf eerst een plekje kunnen geven. Je huidige partner iets verwijten wat je vorige partner heeft gedaan, is niet alleen unfair, het is emotioneel dodelijk.

Soms is het scheiden van een partner het verstandigste wat je kunt doen.

Overigens, als ik spreek over falen en mislukken, dan heeft dat alleen betrekking op de relatie. Als een relatie ophoudt, betekent dat voor de betrokken mensen niet perse ook een mislukking. Soms is het scheiden van een partner het verstandigste wat je kunt doen, bijvoorbeeld als de relatie niet werkt, als jullie om de verkeerde redenen bij elkaar zijn of blijven, als je partnerkeuze verkeerd was of als jullie zover uit elkaar zijn gedreven dat jullie gelukkiger zijn alleen of met iemand met een ander karakter, een andere kijk op het leven, andere verwachtingen van een relatie, enzovoort. Dan heb ik het niet eens over fundamenteel ontwrichte relaties die gekenmerkt worden door bijvoorbeeld geweld.

Ik ben een groot voorstander voor het maken van bewuste keuzes en het voortdurend evalueren van je keuzes omdat dit je scherp houdt en gefocust op de kwaliteit van je leven. Onthoud dat je maar één leven hebt en dat het geen zin heeft je leven te verknoeien met iemand die je niet ten volle waardeert en niet bereid is ervoor te zorgen dat jullie relatie iets toevoegt aan het leven. Dat is geen eis die je aan de ander moet stellen, maar wel een eis die je aan jezelf moet stellen. Als de ander niet tot dat inzicht komt, dan heb jij of je partner vroeg of laat een probleem. Dan komt de vraag wie de baas is over jouw leven je op volle snelheid tegemoet. Wacht je af wat de ander gaat doen of neem je zelf het heft in handen? Confrontatie is in dit geval een positief teken. Dat lijkt misschien niet altijd zo, maar het is het wel. Daarom een kleine uitweiding over het ontstaan van conflicten en over conflicthantering.

Hoe ontstaan conflicten?

Conflicten ontstaan door een samenloop van twee factoren.

In de eerste plaats is er de wil om een conflict aan te gaan. Misschien denk je: wie is er nu uit op ruzie? Het ligt iets subtieler en dieper. Het gaat er niet om dat je in een bepaalde situatie ruzie wilt hebben, maar wel dat je op zeker moment en in sommige situaties gelooft dat je meer kunt bereiken met strijd dan met overleg en samenwerking.

De tweede voorwaarde is dat je strijdt voor je eigen belang in plaats van voor een gezamenlijk doel. Je wilt bijvoorbeeld zelf je slag thuis halen, in plaats van jullie gezamenlijk geluk te verhogen.

Binnen een relatie krijg je harmonie als je net wel streeft naar gezamenlijke doelen en dat door samenwerking op de eerste plaats te zetten. Ik beweer niet dat je dan de spannendste relatie hebt, maar wel de gelukkigste.

Ontstaat er toch een conflict, dan zijn er technieken om hier constructief uit te komen. Jammer genoeg leren we zoiets niet op school. Daarom geven we ze hier maar even mee.

Stijlen van conflicthantering

De stijlen van conflicthantering gaan uit van twee dimensies die te koppelen zijn aan het gedrag van mensen in conflictsituaties.

Deze twee dimensies zijn assertiviteit en de mate van zorg die iemand heeft voor de relatie. Niet toevallig is er een verband met het ontstaan van conflicten zoals hoger geschetst. Hoe je conflicten goed beheerst, illustreer ik graag aan de hand van een tabel met die twee dimensies op de horizontale en de verticale as. Op de verticale as komt de mate van assertiviteit te staan.

Assertiviteit

Het begrip assertiviteit is de laatste jaren bekender geworden. Om alle misverstanden te vermijden: assertiviteit heeft niets te maken met agressiviteit. Assertiviteit is niets anders dan dat je bewust opkomt voor je eigen belangen. Dat veronderstelt natuurlijk wel dat je weet wat je wilt. Een gebrek aan assertiviteit wordt meestal veroorzaakt door in de eerste plaats dat men niet weet wat men wil en in de tweede plaats dat men zichzelf niet belangrijk genoeg vindt om op te komen voor die belangen. Zelfvertrouwen is dus een sleutel in het opbouwen van een gezonde vorm van assertiviteit. Je moet weten wat je wilt en voldoende gemotiveerd zijn om het te bereiken. Het is heel moeilijk om hierin richtlijnen in te geven. Je moet daar een gezond evenwicht in weten te vinden. Net zoals je het verschil tussen koppigheid en door-zettingsvermogen pas kunt beoordelen als iets een succes is geworden of een mislukking, zo kun je ook bij assertiviteit pas achteraf zien of je voldoende naar een ander hebt geluisterd of niet. Toch wil ik een pleidooi houden voor wat meer assertiviteit.

Hoe zelfbewuster je bezig bent met wat jij wilt, hoe

meer controle je hebt over je leven. Natuurlijk zit ook daar een limiet op, zoals je wel zult merken als je je hele omgeving onder controle wilt houden. Dan loop je voortdurend tegen omgevingsfactoren en mensen aan die onwillig zijn om zich in te schakelen in jouw precieze plan. En toch pleit ik voor meer assertiviteit omdat het aantal mensen dat te bescheiden is, groter is dan diegenen die te assertief zijn.

Assertiviteit betekent dus ook dat er situaties ontstaan waarbij de belangen van een ander, ook die van je partner, ondergeschikt kunnen zijn aan de jouwe. Dat kan aanleidingen geven tot botsingen. In dit hoofdstuk leer je hoe hier mee om te gaan.

Zorg om de relatie
Op de horizontale as geven we de mate aan waarin het individu probeert de belangen van anderen en de gezamenlijke belangen veilig te stellen. Dit staat niet noodzakelijk in tegenstelling tot de assertiviteit. Je kunt zowel belang hechten aan wat jij wilt, als bekommerd zijn om wat jullie gezamenlijk hebben.

Conflictoplossingsstijlen
Met behulp van deze twee dimensies ontstaan vijf manieren om met conflicten om te gaan.

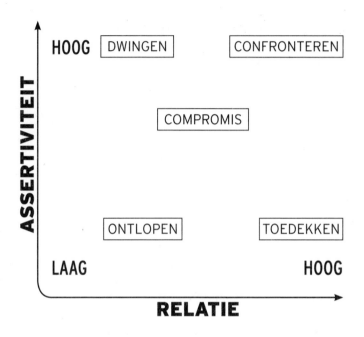

1. Ontlopen

Ontlopen is een zeer neutrale houding. Het gaat om een manier van reageren waarbij weinig zorg voor de ander naar voren komt en die weinig assertief is.

Men keert zich niet tegen de ander en cijfert zich ook niet weg, maar staat meer neutraal en onverschillig tegenover de belangen van de andere partij, evenals tegenover de eigen belangen. Alle energie, voor zover er sprake is van energiegebruik, is gericht op het voorkómen van een confrontatie.

De beschrijving zoals we die gegeven hebben, betekent niet noodzakelijk dat ontlopen altijd een slechte keuze is. Het ontlopen van conflicten kan soms de beste oplossing zijn. Bijvoorbeeld wanneer je je op het moment zelf niet sterk voelt, moe bent of een beter moment wilt/moet afwachten. Maar ook als het om onbelangrijke kwesties gaat bijvoorbeeld, is het een goede strategie. Op die manier verspil je je tijd niet aan futiele zaken.

Als je goed bent in het ontlopen van conflicten, dan kun je waarschijnlijk ook goed de functie innemen van derde partij, gezien de neutrale rol die je moet kunnen spelen. Wanneer je echter altijd conflicten uit de weg gaat, doe je jezelf te kort en zul je weinig of geen diepgaande relaties ervaren.

Confronteren wordt meestal gezien als de ideale manier om een conflict aan te pakken.

2. Confronteren

We spreken hier over een aanpak die zowel gericht is op het nastreven van eigen doelen als op het goed houden van de relatie. Je ziet het conflict als een situatie waarvoor beide partijen verantwoordelijk zijn, maar ook als een eerlijke strijd die voor beiden winst op moet kunnen leveren. Samen streven naar een oplossing staat hierbinnen voor jou centraal. Hiervoor kan het nodig zijn om eerst misverstanden uit de weg te ruimen en dus eerst het conflict duidelijk te krijgen. Het is dan ook niet ondenkbaar dat het conflict in eerste instantie even escaleert. Toch blijf je een win-win situatie voor ogen houden.

Probeer je dan ook aan beschrijvende, niet beoordelende of veroordelende opmerkingen te houden.

Confronteren wordt meestal gezien als de ideale manier om een conflict aan te pakken. Echter, als je altijd confronteert, leef je waarschijnlijk voortdurend in conflict en is er altijd wel iets uit te praten. Dit kan dan weer erg vermoeiend zijn. Kies voor deze aanpak als je van mening bent dat beide partijen over een zelfde niveau van communicatie beschikken, anders kom je niet tot een open en flexibele opstelling die je nodig hebt om deze aanpak te doen slagen.

Hou ook in gedachten dat hoe vervelend het ook op je over kan komen dat je partner je confronteert met een probleem, dit betekent dat de ander nog wel belang hecht aan de relatie. Als het probleem voortdurend ontlopen wordt of als de ander zijn of haar wil oplegt, dan kan dit een veel onrustwekkender signaal zijn.

3. Dwingen

Dwingen is een zeer assertieve manier van optreden in een sluimerend of accuut conflict. Er wordt weinig zorg besteed aan de andere partij en men probeert eigen doelen en belangen door te drukken ten koste van de andere partij. Het conflict wordt gezien als winnen of verliezen.

De manier waarop men dit doet kan nogal verschillend zijn. Iemand kan hierbij gebruik maken van machtsmiddelen, zoals de ander belachelijk maken, bekritiseren, onder druk zetten, etc. Maar het kan ook zijn dat je in niet zo'n sterke positie staat en dat je ervoor kiest om op een subtielere en bedekte wijze te werk gaat om je zin te krijgen.

Toch is deze aanpak meestal niet aan te raden. Je krijgt misschien wel vaak je zin, maar je relatie raakt uit balans.

Je loopt ook het risico dat het conflict escaleert naar een houding van de andere partij van: het maakt me nu niet meer uit of ik er iets bij win, als ik de ander maar schade berokken.

Deze methode is aangeraden als het voor jou een erg belangrijke zaak is, eentje waarin je jezelf dreigt te verliezen als je je zin niet krijgt.

4. Toedekken

Bij deze aanpak is alles erop gericht om de relatie goed te houden, zelfs al gaat dit ten koste van de eigen belangen. Je herkent dit als mensen vriend-schappelijke verhoudingen gaan benadrukken, onderlinge verschillen verdoezelen en zelfs vooruit lopen op de wensen van de ander (gedachten lezen), als het maar niet tot een openlijke botsing komt.

Mensen die toedekken zijn wel heel goed in staat zich in te leven in de ander.

Mensen die voor deze aanpak kiezen willen vaak aar-dig gevonden worden en zijn bang dat, als ze voor zichzelf opkomen, de andere partij hen laat vallen.

Mensen die toedekken zijn wel heel goed in staat zich in te leven in de ander. Ze begrijpen de ander vaak makkelijk en het lijkt alsof ze een soort zesde zintuig hebben ontwikkeld voor medeleven. Dit stelt hen in staat zich neer te leggen bij het gelijk van de ander. Met deze kwaliteit kun je weer heel goed de derde partij spelen, maar in een relatie ben je met twee. Dus toedekken is voornamelijk gunstig als iets veel belangrijker is voor de ander dan voor jou.

Wanneer je je echter voortdurend wegcijfert zal zich dat op den duur tegen die persoon keren. De andere partij zou kunnen denken dat je geen ruggengraat hebt en dat jij minder wensen en misschien zelfs minder rechten hebt. Zo ga je jezelf op den duur gebruikt voelen. Helaas is het nu net zo moeilijk om hier iets van te zeggen als je een toedekker bent. Vaak pas veel later, via een grote omweg komt dit er dan ooit eens uit, nadat je jarenlang ondergesneeuwd bent in de relatie.

5. Compromis sluiten

Bij het sluiten van een compromis zoek je de middenweg tussen het verdedigen van de eigen belangen en het behouden van de relatie. Beide partners beseffen dat ze water in de wijn zullen moeten doen en zij zoeken een middenoplossing waarbij men kan leven met het feit dat men heeft moeten toegeven. Dit lukt beter naarmate men de indruk heeft dat de andere partij ook toegevingen heeft moeten doen.

Voor de verdere samenwerking is dit besef heel belangrijk. Daarom dat aan het compromis vaak een lange onderhandelingstijd moet voorafgaan waarbij de beide partijen elkaars standpunten en limieten aftasten.

Een goed compromis vergt creativiteit en sterke onderhandelingsvaardigheden. Zeker in een relatie heeft het geen zin om te onderhandelen met het mes op tafel. Oog voor de lange termijn en elkaars belangen en gevoeligheden moeten daarbij de boventoon voeren. Elke vorm van dwingen is uit den boze. Elke eis moet gecompenseerd worden met een toegeving aan de ander en beide partners moeten volmondig kunnen instemmen met de gevonden oplossing. Creativiteit helpt daarbij. Dat kun je bereiken door bijvoorbeeld een ruimer tijdsperspectief te hanteren. Je spreekt dingen af voor de toekomst. Of je kunt er andere domeinen in betrekken. Bijvoorbeeld: ik zal meer taken in het huishouden op me nemen als ik niet meer naar familiefeestjes hoef.

En nu?

De keuze voor de manier om je probleem op te lossen hangt af van de situatie en natuurlijk ook voor een stuk de keuze van de andere. Met twee heb je nooit alle troeven in handen. Als je denkt van wel, dan is er geen sprake van een relatie. Ik weet niet wat het dan is voor samenlevingsvorm, misschien wederzijdse afhankelijkheid, misschien eenzijdige afhankelijkheid, maar het is zeker geen volwaardige relatie. Een volwaardige relatie is gebaseerd op een positieve keuze in onafhankelijkheid en vrijheid en creëert een meerwaarde voor beide partijen.

Merk je bij je partner een neiging tot voortdurend

ontlopen of dwingen, dan weet je dat hij of zij in wezen weinig geeft om de relatie. De alarmbellen zouden overal moeten afgaan: tijd voor confrontatie. Geef daarbij ook aan bij je partner waarom je confronteert, dat het een teken is dat je geeft om de relatie. Als je partner dat niet accepteert, dan weet je wat je te doen staat als je nog een relatie wilt. Bij je huidige partner zul je het niet vinden.

Is je partner daarentegen voortdurend aan het toedekken, dan kun je dat wel eens prettig gaan vinden omdat je altijd gelijk lijkt te krijgen, maar kun je jezelf ook verplaatsen in de ander? Wil je werkelijk iemand naast je wiens zelfvertrouwen ondergeschikt is aan de relatie of wacht je tot de bom barst, je hem of haar beu wordt of tot iemand het zelfvertrouwen van de ander wel weet op te krikken om wel ten volle een relatie te beleven?

De relatie om de relatie?

Dat brengt ons bij de vraag of een relatie het doel op zich kan of moet zijn, een doel waar alles ondergeschikt aan is. In praktijk zien we het meermaals gebeuren. Een relatie wordt dan het hoogste goed, alsof al het andere een mislukking is. Eenzaamheid wordt ten onrechte gezien als het afschrikwekkende alternatief. Dat leidt zelden tot een rijke relatie gevuld door twee volle persoonlijkheden. Een duidelijk overwicht van de ene persoon over de andere in een relatie is ongezond in een perspectief van zich ontwikkelende individuen. Het spreekt voor zich dat als dit een vrije keuze is van beide volwassenen, dat niemand hier iets tegen kan hebben. Het is niet aan mij om hier een moreel oordeel over uit te spreken. Het enige wat ik kan doen is met mijn woorden stimuleren om geen afhankelijkheid te kweken omdat keer op keer blijkt dat zelfredzaamheid de meeste duurzame weg is tot geluk.

De mens is een sociaal wezen dat niet altijd zelf in zijn emotionele behoeften kan voorzien.

Natuurlijk kan het best zijn dat jij een relatie nodig hebt om gelukkig te zijn. De mens is een sociaal wezen dat niet altijd zelf in zijn emotionele behoeften kan voorzien. De vraag is dan of het de relatie moet zijn waar je inzit. Het krampachtig vasthouden aan de huidige relatie opent de weg naar onevenwicht en in vele gevallen ook morele chantage, met name als de relatie al uit evenwicht is. Angst voor de overgangsperiode, de periode van onzekerheid in de zoektocht naar een nieuwe geliefde, zorgt ervoor dat mensen te lang en om de verkeerde redenen bij elkaar blijven.

Ze kiezen voor de middelmatige of slechte zekerheid boven de twijfel en wat zij zien als het grote niets. Natuurlijk hoeft dit niet zo te zijn, is dit niet het grote niets. Elke periode voor jezelf is een mogelijkheid om weer helemaal jezelf te worden en je onafhankelijkheid als mens opnieuw te bevestigen. Het te lang bij elkaar blijven zorgt alleen maar voor meer pijn dan noodzakelijk, zowel tijdens de periode van het samenzijn als tijdens de scheiding. Je kunt ook uit elkaar gaan als er niets aan de hand is, misschien zelfs omdat er niets aan de hand is.

Ruzie

Als je ruzie maakt als partners, kan het er behoorlijk heftig aan toe gaan omdat je allebei sterk emotioneel betrokken bent bij het conflict. Gelukkig wel, want het betekent in ieder geval dat het je iets kan schelen. Toch maakt het dat niet veel prettiger. Daarom is het belangrijk om de kunst van het ruzie maken te beheersen. Het gaat er eigenlijk om dat je ervoor zorgt dat een confrontatie constructief is en niet uit de hand loopt. Fysiek geweld is natuurlijk uit den boze, maar denk erom dat fysiek geweld soms ontstaat door frustratie en ongelijkheid op het vlak van verbale vaardigheid. Zorg ervoor dat een confrontatie, zelfs een ruzie, iets oplost en dat het niet het begin van het einde betekent. Een verbaal conflict niet laten escaleren vergt het uiterste van je koelbloedigheid en volwassenheid omdat een ruzie zich meestal geleidelijk aan opbouwt. Op welk moment denk je wel dat het overgaat en op welk moment is het te laat en zit iedereen in de loopgraven?

Let in ieder geval op conflictaanjagers. We hebben ze allemaal al eens gebruikt en geloof me, ze hebben geen positieve invloed op je relatie. Je zult ze vast herkennen.

Enkele veel voorkomende conflictaanjagers zijn:

Niet meer luisteren

Het eerste slachtoffer van een ruzie is meestal de luisterbereidheid. Je gaat door elkaar heen praten of je vervalt in 'ja-maar' gesprekken. De partners praten niet meer met elkaar, maar wachten in het beste geval gewoon hun beurt af of proberen de andere te overschreeuwen. Dit kan goed zijn om je emotie te ventileren zodat je tenminste hebt kunnen zeggen wat je op het hart ligt. Dat lucht op en is soms een voorwaarde om te komen tot een redelijke oplossing. Bij bedrijven die een klacht moeten behandelen, weten ze dat goed en laten ze de ontevreden klant eerst uitrazen tot die stilvalt. Als jij het kunt opbrengen om naar de ander te luisteren en ook moeite doet om te begrijpen wat de ander wil zeggen, dan heb je de grootste stap richting een oplossing al gezet.

Onder niet meer luisteren valt ook dat je al helemaal niet meer communiceert. Dat kan het conflict verergeren omdat ieder zich in zijn eigen uitspraken en grote gelijk wentelt, het kan ook zijn dat zo'n afkoelingsperiode helpt om de ergste emotie uit de ruzie te bannen. Dat is dan weer wel een goede basis om het conflict op te lossen.

De ander willen betrappen op verkeerde uitspraken

Als je niet tegen elkaar loopt aan te schreeuwen zoals in het vorige stukje beschreven, dan kan het nog altijd zijn dat je wel luistert naar de ander, maar meer met het doel om de ander te betrappen op verkeerde uitspraken. In de hitte van het moment worden er wel eens dingen gezegd waar je later spijt van hebt, aan beide zijden. Natuurlijk is het dan onrechtvaardig om elkaar daar op aan te spreken, want dan krijg je een soort van wederzijdse situatie die helemaal nergens toe leidt. Wie heeft dan gelijk? Diegene die het beste geheugen heeft of diegene die het gevoeligst is? Als je luistert, doe dat dan om te begrijpen, om de betekenis achter de woorden te vinden, om te zien wat de ander frustreert. Je hebt al de halve veldslag gewonnen door er geen veldslag van te maken.

Absolute oordelen

Als de luisterbereidheid het eerste slachtoffer van een ruzie is, dan is de nuance zeker het tweede. We komen makkelijk in de verleiding om de specifieke aanleiding van een ruzie uit te vergroten alsof het een wereldomvattend probleem is, terwijl het meestal niet meer een vonk is die de droge takken van de opgekropte frustratie doet ontvlammen. Het doel van de ruzie is uiteindelijk een oplossing, maar in eerste instantie probeert men de ander emotioneel te betrekken. Dat is niets anders dan een ingebouwd mechanisme om ervoor te zorgen dat ook de andere het probleem belangrijk genoeg gaat vinden. Op het ogenblik dat de ruzie begint, kan dat door te huilen, bijvoorbeeld, maar ook door te kwetsen. Een absoluut oordeel is dan een methode die daarin erg effectief is. Dat betekent echter niet dat het aangewezen is om te gebruiken, integendeel.

Voorbeelden van absolute oordelen zijn: 'Jij doet ook nooit wat', 'Jij trekt altijd partij voor een ander' of 'Jij hebt altijd commentaar'. Absolute oordelen laten de ander geen ruimte en leiden daardoor tot verharding van standpunten. Meestal zijn ze ook niet correct en dat maakt dat de ander zich terecht niet gerespecteerd voelt. Natuurlijk is het niet zo dat iemand nooit wat doet, altijd partij trekt voor een ander of altijd commentaar heeft. Zelfs al is dat vaak zo, het is niet in alle gevallen zo. Daardoor kan de nadruk komen te liggen op jouw onredelijkheid (jij bent altijd onredelijk!) en is het moeilijk om een oplossing te bedenken die los staat van het gekrenkte ego. De andere partij wordt ook in alle onredelijkheid geplaatst in een positie van waaruit het nog heel moeilijk is om de indruk te krijgen dat er nog iets te redden valt. De waardering is immers geheel weggevallen.

Geen oude koe is er nog veilig in welke gracht dan ook.

Uitbreiding van onderwerpen

De emotionele brand die een ruzie is, blijft zelden binnen de perken van één onderwerp. Al snel slaat hij uit naar de omgeving en het vervelende is dat dit leidt tot een veel heftiger conflict. Op het moment dat een ruzie begint, worden er door de ruziemakers maar al te vaak onderwerpen die al lang onder het oppervlak liggen te broeden, bij het conflict betrokken. Er wordt niet alleen meer gesproken over het onderwerp van discussie, maar allerlei zaken (uit het verleden) worden er bijgehaald. Geen oude koe is er nog veilig in welke gracht dan ook. Hoe langer jullie geschiedenis samengelopen heeft, hoe meer verwijten er op tafel kunnen komen. Wat jullie zou moeten verbinden, is een opeenstapeling van licht ontvlambaar gas geworden. Het spreekt voor zich dat dit niet bijdraagt tot een oplossing. Zorg ervoor dat je niet in de verleiding komt om alles erbij te willen slepen of het nu het verleden of het heden is. Beperk je toch één onderwerp en wees blij als je dat oplost. Dat vergt discipline, maar het verleden is het verleden en mag geen schaduw over het heden worden.

Als jullie naar het einde van de ruzie komen en jullie lijken weer tot elkaar te komen, denk dan vooral niet dat je kunt verder gaan op je elan en nog een ander sluimerend conflict kunt oplossen. Dat zou wel eens helemaal verkeerd kunnen uitpakken, tenzij duidelijk is voor beide partijen dat jij de grootste toegeving hebt gedaan. Niet dus als jij dat alleen vindt.

Iedere aanval heeft als natuurlijke reactie een tegenaanval.

Aanval en tegenaanval

Zeker als iemand zich in het nauw gedreven voelt door een aanval en de uitbreiding van onderwerpen, krijg je dat die in een ruzie kiest voor de tegenaanval. Dat hangt nauw samen met het niet luisteren en het alleen maar luisteren om de ander te betrappen op fout woordgebruik. In dit stadium van het conflict lijkt ook het onderwerp helemaal naar de achtergrond verdreven. Er wordt al wat meer op de persoon gespeeld. De loopgraven worden nu echt betrokken. Iedere aanval heeft als natuurlijke reactie een tegenaanval. 'Met jou valt niet te leven', vraagt om de reactie: 'Als er iemand is met wie niet te leven valt, ben jij dat'. 'Jij maakt er ook altijd een rotzooi van?' 'Ja? En wie laat dan altijd de spullen in de tuin slingeren?'

In de tegenaanval gaan lost zeker het probleem niet op. Hoogstens kan het nuttig zijn om het evenwicht een beetje te herstellen. We raden het niet aan als techniek, maar het kan de ander wel doen beseffen dat hij of zij niet zonder zonde is, dat er wederzijdse ergernis of tenminste reden tot ergernis kan zijn. Maar geef dan tenminste concrete en recente voorbeelden en geef je eigen manco's ruiterlijk toe.

Persoonlijk worden

Objectiviteit is het volgend slachtoffer van een ruzie omdat als je in dat stadium van een conflict zit, het bijna al per definitie persoonlijk is. Niet de bal wordt gespeeld, maar het duel gaat rechtstreeks op de man/vrouw. 'Jij zoekt altijd ruzie', 'Je bent niet goed snik', 'Jij brengt niets tot een goed einde'.

Op deze manier komen we tot een escalerend conflict. Toch kun je beter iets constructiefs bedenken.

Hou je bij de zaak, spreek over het probleem, hoogstens over het gedrag, nooit over de persoon. Zet even een ijkpunt door bijvoorbeeld te zeggen: 'Kunnen we niets constructiefs bedenken zodat we hier allemaal beter uitkomen.', 'Ik begrijp je niet, help me daarbij.'

'Het is jammer dat je dit niet hebt afgemaakt' kent een heel andere toonzetting en zal minder snel tot het uit de hand lopen van de ruzie leiden. Op de persoon spelen maakt het conflict los van het onderwerp en spitst het toe op de mensen. Het conflict verergert dan snel en dat moet je vermijden.

Aan de andere kant kent een ruzie nu eenmaal een emotionele kant. Het negeren ervan kan bij de ander het gevoel opwekken dat je hem of haar niet ernstig neemt. Een te objectieve, zakelijke benadering van het probleem heeft geen oog voor de emotionele opbouw van een ruzie. Je zult die gevoelens dus ook moeten erkennen en meenemen als je het conflict wilt oplossen. Dat kan bijvoorbeeld door aan te geven dat je de gevoelens van de ander begrijpt of dat je het zelfs terecht vindt dat de ander boos is. Met zulke uitspraken trek je vaak al de ontsteking uit het explosief.

Medestanders zoeken

Laten we toch nog even doorgaan op de zaken die het conflict verergeren. Gelukkig vindt het merendeel van de relationele ruzies niet plaats in het openbaar. Dat kun je wel eens hebben met ruzies in de werksfeer en dan is de verleiding groot anderen in het conflict te betrekken. In een liefdesrelatie is de schade die hierdoor ontstaat veel groter. Stel je voor dat je je ouders in het conflict betrekt door ze bijvoorbeeld op te bellen als je ruzie hebt met je partner. Zelfs al spelen zij een verzoenende rol, je maakt het wel moeilijker voor je partner om hen onder ogen te komen en ook diegene die in het conflict betrokken worden, kunnen zich behoorlijk ongemakkelijk voelen. Op het moment dat jullie het al lang weer goed hebben gemaakt, zitten zij nog met de nasleep ervan. Alle goede onderhandelingen worden in beslotenheid gevoerd, zodat iedereen zijn gezicht kan redden.

Uitbreiding naar andere personen

Terwijl de vorige conflictaanjager direct gericht is op het zoeken van medestanders, is deze veel gemener omdat je personen in het conflict betrekt die niet aanwezig zijn. Dat kan op twee manieren.

De eerste is dat je voorwendt dat andere mensen jouw mening delen. 'Mijn moeder heeft me altijd voor jou gewaarschuwd'. Dodelijk voor een relatie natuurlijk en waarschijnlijk doe je er ook je moeder onrecht mee aan.

De tweede manier is dat je de verwijten die je de

andere naar het hoofd slingert, extrapoleert naar anderen. Op die manier probeer je de andere te kwetsen door iemand die hij of zij liefheeft mee te bombarderen. Bijvoorbeeld: 'Je bent al even egoïstisch als je moeder.' of ' Niet verwonderlijk dat jij de ganse dag niets uitvreet als je ziet met welke nietsnutten van vrienden je je omringt.' Of helemaal erg: 'Ik begrijp best waarom je vorige vriend(in) je in de steek heeft gelaten.'

Tot slot

Denk erom dat je minstens met twee moet zijn om ruzie te maken. Confrontatie bewijst dat jij en de de ander nog om de relatie geven en daar kun je je altijd aan optrekken. Doseer echter de ruzies en denk er steeds aan dat niet alles de moeite van het gevecht waard is.

Conflictremmers

Veel belangrijker nog dan te weten hoe conflicten erger worden, is de vraag hoe conflicten kunnen worden tegengegaan. Dit noemen we conflictpreventie.

Bij conflictpreventie gaat het vooral om twee dingen:
1. Zorg dat je conflictaanjagers vermijdt;
2. Maak gebruik van conflictremmers

Conflictremmers zijn acties die, het woord zegt het al, remmend werken op conflicten. Het op de juiste manier gebruiken van conflictremmers voorkomt dat je in escalerende conflictsituaties terechtkomt. Het zal je niet verbazen dat ze zowat het spiegelbeeld zijn van de conflictaanjagers.

Enkele goed werkende **conflictremmers** zijn:

- luister echt en stimuleer mensen om naar jou te luisteren
- stel vragen ter verduidelijking
- praat voor jezelf
- blijf bij het onderwerp
- zoek naar het belang van iemand bij een stelling-name
- gebruik gevoelsreflecties
- gebruik de giraffe-techniek

Wat betekenen deze conflictremmers?

- *luister echt en stimuleer mensen om naar jou te luisteren*
  Bij echt luisteren richt je je met alle aandacht op de ander. Niet zozeer om te verstaan wat die ander zegt, maar om te begrijpen wat die ander wil zeggen.
- *stel vragen ter verduidelijking*
  Zolang je niet precies begrijpt wat de ander bedoelt, moet je niet met je eigen reactie komen, maar blijven doorvragen tot je hem of haar werkelijk begrijpt.
- *praat voor jezelf*
  Zeg dus niet: 'Dat is niet juist', maar 'Ik denk daar anders over'.

- *blijf bij het onderwerp*
  Houd helder waar je over bezig bent en sla geen zijpaden in die de zaak niet alleen verwarren (waar gaat het nu eigenlijk over?), maar ook op de spits kunnen drijven.

- *zoek naar het belang van iemand bij een stelling-name*
  Om iemands stelling te begrijpen, moet je doorzien wat voor belang die persoon heeft bij de stelling. Dan kan ook bekeken worden of er alternatieven zijn voor de stellingname, die tegemoet komen aan zijn belang.

- *gebruik gevoelsreflecties*
  Zeggen dat iets je kwaad maakt, is veel beter dan kwaad reageren. Als je ziet dat een ander kwaad wordt, kun je dat opvangen met een opmerking als: 'Ik merk dat je hier kwaad om wordt, kun je me uitleggen wat je nou zo kwaad maakt?'.

- *gebruik de giraffe-techniek*
  Simpel gezegd is de giraffe-techniek: steek je lange nek eens uit en kijk van boven af naar wat er eigenlijk gebeurt. De giraffe houdt echter wel zijn poten op de grond. Een voorbeeld van de giraffe-techniek is: 'Ik merk dat wij allebei steeds heftiger reageren en steeds minder naar elkaar luisteren. Zo komen we hier niet uit. Laten we eens opnieuw beginnen.'

Soms is het simpele feit dat de betrokkenen op de hoogte zijn van het bestaan van conflictaanjagers en -remmers voor hen al voldoende om op een volwassen manier met een dreigend conflict om te gaan.

Tot zover het conflict. Laten we ons opnieuw richten op de positieve aspecten van een waardevolle relatie.

Is het trendy om zonder kinderen te leven?

'*Oh dus jij bent de enige van de drie vriendinnen die geen kinderen heeft?*' probeert de stoerste in het gezelschap. Blijkbaar maakt dat mij aparter, interessanter, misschien zelfs sexier. Of misschien hoopt hij gewoon dat dat wil zeggen dat ik wat gewilliger zal zijn dan de andere twee.

De avond is een succes, als het aantal getrakteerde drankjes een graadmeter mag zijn. Els en Julie vinden het bovendien prima dat ik het middelpunt van de belangstelling ben, hun bliksemafleider. Inderdaad, ik ben niet getrouwd (weten de heren veel dat mijn man en ik enkele jaren geleden in Las Vegas trouwden, dat is veel romantischer).

'Inderdaad, ik ben de enige,' glimlach ik. 'Daar drinken we op!'

Ik hef het glas, meteen gevolgd door de drie jongemannen en mijn twee vriendinnen. Algemeen vrolijkheid, al lachen we niet alle zes met dezelfde mop. Els, Julie en ik doen dit niet vaak, misschien niet meer dan twee, drie keer per jaar, samen op stap, als de sterren juist staan en de babysit meewerkt.

Terwijl de heren gulzig drinken, kop ik het doelpunt binnen.

'En wie van jullie drie wordt de vader van mijn kinderen?'

Stilletjes had ik gehoopt op een slachtoffer, doch het worden er twee: de een verslikt zich een beetje en slaagt er ternauwernood in te vermijden dat het bier in z'n neusgaten duikt, de ander trekt grote ogen en neemt een iets te ruime slok, zodat het bier over z'n dure witte overhemd gulpt. De enige die geen misstap maakt, is de knappe jongen die me zonet complimenteerde met het feit dat ik als enige nog geen kinderen had. Knap en slim, wat tref ik het toch vanavond. Hoe oud zou hij zijn? Achtentwintig? Tweeëndertig?

Zit z'n trouwring in z'n binnenzak of ligt die in de auto?

'Kinderen? Nou, dat is toch helemaal uit?' reageert hij met een knipoog. 'Wat is er mis met casual sex?'

Ik knik goedkeurend en ik kijk Els en Julie aan, ten teken dat zij ook een bijdrage aan het feestjolijt mogen doen. Ondertussen heeft Els net genoeg gedronken om echt dronken te zijn.

Casual sex, daar heb ik vaak zo'n zin in! Liefst met een getrouwde man.

'Jah,' zucht ze, 'casual sex, daar heb ik vaak zo'n zin in! Liefst met een getrouwde man, die ik alleen af en toe ontmoet omdat we alletwee ergens anders verplichtingen hebben, en dan hebben we geweldige sex.'

Julie en ik proberen beiden zo normaal mogelijk te kijken zonder in een lachbui uit te barsten.

De stoere jongen is deze keer niet zo ad rem.

'Euh... wij zijn getrouwd hoor. Kunnen we iets afspreken?'

Ik heb ooit geleerd dat de kunst bij het vertellen van moppen precies ligt in het kunnen zwijgen op de juiste momenten. Dit was zo'n moment. Els keek naar het plafond, Julie naar de bodem van haar glas, terwijl ik de drie jongens een voor een monsterde, vooral hun ringvingers.

Eenentwintig, tweeëntwintig...

'Nou, heren,' zei ik op lijzige toon, 'waar zijn dan jullie trouwringen?'

Dat laatste drankje hebben we als boete zelf betaald. Ere wie ere toekomt, de heren konden ons gevoel voor humor wel appreciëren, dat is ook niet iedereen gegeven.

Daarna, in de taxi naar huis, dacht ik na over de reactie van m'n stoere would-be loverboy: 'kinderen zijn uit.' Steeds meer mannen en vrouwen zijn kindervrij, niet langer kinderloos. Het is een negatief, zelfs treurig woord: kinderloos. Als ik een trend wil starten, dan graag om dat woord minder te gebruiken. Zelf gebruik ik het nooit, zelfs niet als een kennis, collega of vriendin kinderen had gewild: voor mij is zij kindervrij.

Wat ik daarmee bereik? Eerst en vooral start het altijd een gesprek, en vaak is die andere persoon blij om het verhaal eens te kunnen doen met iemand die alle argumenten mooi op een rijtje heeft: het leven zonder kinderen.

Ten tweede, de reden om geen kinderen te hebben is verschillend, maar het resultaat is hetzelfde, de vrijheid is dezelfde, plotseling is alles mogelijk. Twee mensen die vrijuit praten over alles wat ze in dit leven *nog willen realiseren, en niet in het volgende leven, dat is een recept voor een leuke avond.*

Terwijl ik nadacht over dit boek noteerde ik af en toe interessante meningen over het onderwerp, zocht ik naar feiten om mijn redenering te onderbouwen.

Kinderloosheid is een trend

Van de vrouwen die in de periode 1935-1945 zijn geboren, bleef 11 procent kinderloos. Bij jongere generaties is het aandeel vrouwen dat kinderloos bleef grote, ongeveer 15 procent. Bij nog jongere generaties is het aandeel vrouwen dat geen kinderen krijgt nog onzeker, maar waarschijnlijk zal dit tegen de 20 procent liggen.

Ook onder laagopgeleide en middelbaar opgeleide vrouwen nam kinderloosheid toe. Hoogopgeleide vrouwen hebben wat betreft kinderloosheid een trend gezet die nu door vrouwen met een laag of middelbaar opleidingsniveau wordt gevolgd.

Vruchtbaarheid in de twintigste eeuw. Arie de Graaf. Centraal Bureau voor de Statistiek, Bevolkingstrends 2008, deel 1

Als 15 tot 20% van de mensen kindervrij leeft, is dat een positieve keuze. Wij kindervrijen bewonderen de mensen die zich volledig wijden aan de opvoeding van de kinderen. Deze kwetsbare schepsels verdienen de volledige aandacht van twee ouders. Wie er voor gaat, moet dat met heel z'n hart en ziel doen. Dat respect wensen kindervrijen te krijgen van de rest van de bevolking. Al te vaak moeten kindervrijen zich verontschuldigen voor hun keuze, alsof de boodschap weinig vrolijk is.

Het leven als kindervrije bestaat niet enkel uit lusten.

Is het moeilijker om zin te geven aan je leven zonder kinderen? Het leven als kindervrije bestaat niet enkel uit lusten. Het vergt ambitie en wilskracht om de enorme vrijheid die je hebt goed in te zetten. Tevens ben je tot je dood enkel op je partner aangewezen, want er zijn geen kinderen om bij te springen.

Wat mij kan shockeren, is het gebrek aan tolerantie in deze maatschappij, die steeds haastiger en aggresiever wordt. In de context van dit boek is die toenemende intolerantie jammer genoeg ook alweer relevant. Kinderen worden op internetfora uitgescholden voor 'kleine teringlijertjes' die enkel aan zichzelf denken. Ouders kunnen hun kinderen niet opvoeden en zorgen er voor dat mensen zonder kinderen er voortdurend last van hebben. De kindervrijen zijn dan weer egoïstisch en oppervlakkig, enkel bezig met hun uiterlijk. Hun pensioen zal betaald worden door de kinderen van de anderen. Repliek van de kindervrijen: deze wereld kan de last van de grote gezinnen niet meer dragen.

In een magazine las ik een tijd geleden deze stelling: 'Mensen worden steeds ouder en deze levensverlenging veroorzaakt een aangroei van de bevolking.'

Men vroeg aan een verouderingsspecialist om een reactie.

'Dat hoeft helemaal niet. Nu al zie je dat steeds meer vrouwen kinderloos blijven of hun kinderwens zo lang mogelijk uitstellen omdat ze andere prioriteiten hebben. Dat is een positieve trend.'
-Aubrey De Grey, Interview in Humo, 4 november 2008

Denkt een jonge moeder bij de geboorte wel eens: 'Hier komt mijn kleine Picasso of Mozart?' Af en toe, misschien. Spreekt het een enkele vrouw aan om - na de geboorte van haar kind - als 'redder van de mensheid' aangesproken te worden? Ik denk het niet, dat is echt niet de reden om samen met je partner een *kind te krijgen. Een kind krijgen is volgens mij zowat de meest persoonlijke keuze die je in je leven kunt maken, het is de bezegeling van de liefde.*

In het interview wordt het uitstellen van een kinderwens een positieve trend genoemd. Dat is ook zo, meen ik: eerst en vooral is het zelden - of eigenlijk nooit - een goed idee om te vroeg met kinderen te beginnen. Kindmoeders en -vaders weten niet goed hoe ze het kind moeten opvoeden, ondanks alle informatie en hulp die beschikbaar is. Zelden hebben ze de financiële middelen om het kind te geven wat het nodig heeft. Te vroeg een kind krijgen leidt niet zelden tot frustratie, wat niet goed is voor het koppel en een ramp voor het kind.

Een tweede reden waarom het een positieve trend is dat vrouwen steeds vaker kinderloos blijven, is omdat kinderen de belangrijkste reden zijn waarom vrouwen nooit meer toekomen aan de andere doelen in hun leven. Iedereen maakt toch een lijstje van de tien of twintig dingen die je in je leven wilt doen – skydyven, hiken in de Grand Canyon, sneeuw eten op de Kilimanjaro, zwemmen met dolfijnen... dat soort ondernemingen.

Een kind krijgen is - of moet ik zeggen: was - voor veel mensen een van de punten op dat lijstje, vaak het allereerste. Tien of twintig jaar later blijkt dan dat het kind of de kinderen de keuze voor jou gemaakt hebben: kies voor kinderen en de rest van het lijstje blijft onafgewerkt liggen.

Als je veel dingen op je lijstje hebt staan, dan is het een goed idee om er eerst een paar te doen, om eerst even die wereldreis te maken of eerst je eigen bedrijf op te starten. Jij kiest voor kinderen en daarna kiezen kinderen voor jou...

Ben ik een moderne vrouw? Daar heb ik niet eens een mening over, want ik doe niet mee aan het in hokjes plaatsen, wat tegenwoordig zo populair is. Wat ik wel weet, is dat ik de voorbije twintig jaar verstandig geleefd heb, zodat ik m'n schaapjes op het droge heb. Hoe tel je die dan, die schaapjes? Natuurlijk hebben we een (bescheiden) spaarrekening, we hebben eind vorig jaar ons huisje verkocht en wonen nu in een appartement in het centrum van de stad, en we hebben geïnvesteerd in een opbrengsteigendom. Als we een kind hadden gehad, dan was dat allemaal niet mogelijk geweest. Dat cliche 'een kind is een huis' klopt, al brengt het kind op materiaal vlak natuurlijk niets op.

Het voordeel van een leven zonder kinderen is dat je veel minder moet plannen. Op lange termijn is mijn planning om verder te doen zoals ik bezig ben, ik hoop eigenlijk dat ik op m'n 70 nog even actief ben als vandaag en wel met dezelfde activiteiten en hobby's, namelijk cultuur, lekker eten, vrienden, lezen, film, kortom: ontdekken.

Op korte termijn heb ik geen planning en laat ik alle opties open. Zo meteen gaat meteen wellicht de telefoon van een vriendin (zonder kinderen), die voorstelt om samen iets leuks te doen. En anders bel ik haar zelf wel ☺

'Het rouwen is voorbij, het leven gaat voort'

Barbara (34)

'Lucio is de man van mijn leven. Het was mijn grootste verlangen om samen met hem onze kinderen groot te brengen. En ik heb daar afscheid van moeten nemen,' vertelt Barbara (34). Drie jaar geleden werd bij Barbara vastgesteld dat zij geen kinderen kan verwekken. Zij woont samen met Lucio, ze denken er over om het grote huis te verkopen, en te verhuizen naar een appartement, in het centrum van een stad.

'De voorbije drie jaren waren heel moeilijk, sinds we het nieuws vernamen. Doch eigenlijk waren de vijf jaar van twijfels tot aan die dag de moeilijkste. Vijf lange jaren proberen. Eerst IVF, dokters, wachten, dan ICSI, weer wachten, opnieuw IVF, dokters, wachten. Om dan te horen dat alles voor niets geweest is. Dat nieuws kwam zelfs na vijf jaar nog heel onverwacht. "U kunt geen kinderen krijgen." Bam...'

'We hebben wat afgehuild samen, Lucio en ik. Het mag eigenlijk wel een half mirakel genoemd worden dat onze relatie dit overleefd heeft, want kinderen en een gezin waren voor ons beiden de onderwerpen vanaf dag één. We hebben enkele jaren bewust gewacht met proberen, tot we er financieel klaar voor waren. Om dan vijf lange jaren te wachten, en toch heel druk bezig zijn, zonder er ook maar iets aan te kunnen doen.'

'Naar elkaar hebben we dat allemaal uitgesproken. Wij zijn het nu eens dat er geen kinderen zullen komen als ik ze niet zelf kan dragen. Geen adoptie, geen draagmoederschap, niet voor ons. Lucio is mijn grote liefde, en blijkbaar ben ik ook de liefde van zijn leven. We hebben het samen verwerkt, en dat was heel intens. Het rouwproces heeft jaren geduurd. Lucio wil enkel met mij kinderen, en wil nu gelukkig zijn met mij. Gewoon gelukkig, zonder kindjes, met elkaar.'

'Een leven zonder kinderen... het klinkt nog altijd als een gong door m'n hoofd als ik het zeg. We hebben onze beslissing genomen, en hebben er altijd aan vastgehouden. Dat moet je doen, of het gaat je hele leven beheersen, overwoekeren. Het was tijd om verder te gaan.'

'Lucio en ik hebben aan begeleiding gedacht in dit proces. Indien we jonger geweest waren, of indien we aan elkaar twijfelden, was dat een goed idee geweest. We zijn nu tien jaar samen, en we zijn altijd gelukkig geweest. We realiseerden ons dat veel met elkaar praten het beste was. En dat is wat we gedaan hebben, praten over onze dromen, over ons leven samen, over de keuzes die we maken, en over wat we samen nog allemaal willen beleven. Gevolg is dat wij als koppel nog nooit zo sterk geweest zijn, dat durf ik wel zeggen. We hebben veel tijd voor elkaar, zondagmorgen naar het Vossenplein op de rommelmarkt, samen onverwacht naar de film, weekendje weg zonder babysit te moeten regelen, met een pizza in de oven voor de televisie schuiven...'

'De intieme momenten zijn er altijd geweest, al draaiden die vijf jaar lang rond kinderen, rond die verwachting, die hoop. Nu zijn die intieme momenten er voor onszelf, romantischer, anders. Lucio is hier geboren, maar z'n ouders zijn Zuid-Amerikanen, dat is een volk van knuffelaars. Wel, we hebben nog nooit zoveel geknuffeld. Als we intiem zijn... ik kan het niet anders zeggen... dan is er opluchting, dat die druk weggevallen is. Het genieten is anders, meer op elkaar gericht, niet meer zo... doelgericht.'

'Sinds we de beslissing namen, gaat het met de zaak van Lucio om één of andere reden veel beter. Hij is aannemer, en hij moet geen reclame maken, dat zegt genoeg. Zelf ben ik ook opnieuw aan werken toe. Ik werkte als bediende op de financiële afdeling van een groot transportbedrijf. Het ging drie jaar geleden wat minder met het bedrijf, en met mij. Toen heeft m'n verantwoordelijke me een mooie uitstap gegund, met de vraag om terug te komen als het zowel voor het bedrijf als mezelf mogelijk was. Toeval bestaat niet, dat blijkt nu wel. Binnen enkele weken mag ik opnieuw beginnen, ik kijk er echt naar uit. Ik verander nu heus niet, ik word geen carrièrevrouw, maar ik heb het contact met de collega's gemist. Onze vrienden zijn ook belangrijk geweest. We hebben nu veel vaker contact met onze vrienden en onze familie. We zijn er tegen iedereen zelf over begonnen, heel open, zo zijn wij.'

'Enkele weken geleden kwamen we dankzij die openheid in contact met onze buren. Dat is een jong koppel, tien jaar jonger dan wij, dat de voorbije jaren heel teruggetrokken leefde. Pas nu blijkt dat zij hetzelfde meemaken als wij. Die mensen zitten echt in

de put, ze beleven de periode vlak nadat het hen mee-
gedeeld werd. Wellicht zullen zij wel begeleiding
nodig hebben. We hebben bijna dagelijks contact. Ik
hoop dat ze het redden, als stel.'

'Sinds kort durf ik voor het eerst zeggen dat een
kindje niet per se meer geluk zou gebracht hebben in
mijn leven. Dat geloof ik uiteraard omdat ik het moet
geloven, dat besef ik. Doch ik heb me in het eerste
jaar verdiept in alle mogelijke boeken en websites,
en met veel mensen gepraat. Alle vrienden, en de
media, vertellen me dat leven met kinderen voor een
koppel vaak moeilijker is. Meestal zelfs. Tja, dat
helpt. Dat zet aan tot nadenken, over de keuzes die
je maakt. De kunst is om dit alles als een geschenk
te zien, een kans op een heel diepe band met Lucio.
Het leven heeft me wel al heel wat verrassingen
bezorgd.'

'Ik hoop dat ons verhaal anderen kan inspireren.
Als ik andere mensen een raad mag geven, die in
dezelfde situatie verkeren, dan is het: praten, veel
praten. Anders blijft er een litteken. Dat verrast de
mensen soms, dat wij er zo open over zijn.'

'Kinderen leken voor ons beiden vanzelfsprekend.
Tot bleek dat het voor ons heel moeilijk zou worden.
Nu hebben we er iets voor teruggekregen dat zo hecht
is. Zo voelt het aan. Het rouwen is voorbij, het leven
gaat voort.'

Het geheim van een goede relatie

D e basisvoorwaarden voor een goede relatie zijn nu bekend: respect voor jezelf en voor de ander, waardoor er evenwicht ontstaat in de relatie en de kans voor een gezonde ontwikkeling van jullie beide persoonlijkheden. Open communicatie en voldoende tijd voor elkaar naar behoefte zijn de volgende. De manier waarop je die aspecten invult is voor iedereen verschillend. Geen persoonlijkheid is hetzelfde en daarom is ook geen relatie identiek. De manier van communiceren tussen twee streng protestante Britten op het Engelse platteland kan naar hun idee volledig open zijn, terwijl iemand uit hartje Amsterdam de codes hiervan niet kan lezen en het een opeenstapeling van oppervlakkige en stijve algemeenheden kan vinden. Wat in dit voorbeeld heel duidelijk en begrijpelijk is, gebeurt ook op kleinere schaal als die verschillen minder extreem zijn. Je partner begrijpen heeft vooral te maken met het oppikken van de codes en het afstand doen van die van jezelf. De woorden die jij neutraal communicatief gebruikt, kunnen voor de ander een emotionele lading hebben en ervoor zorgen dat hij of zij dicht-klapt of boos wordt. Op dat ogenblik is het van wezen-lijk belang dat je afstand kunt nemen van je eigen kader en je je kunt verplaatsen in dat van je partner.

Nu we die basisvoorwaarden hebben opgesomd, kunnen we je ook wel het belangrijkste geheim van een goede relatie onthullen. Het is zo banaal en een-voudig dat je het misschien zelfs onromantisch vindt.

Het geheim van een goede relatie is positieve asso-ciatie. Dit betekent niet meer of niet minder dan dat je partner jou associeert met geluk, blijheid, zeker-heid, enzovoort. Het maakt niet uit welk specifiek gevoel erbij hoort, maar wel dat de ander positief aan jou denkt. Dat is natuurlijk in het begin van een rela-tie niet zo moeilijk. Liefde maakt blind, je presenteert jezelf op je paasbest en die nare trekjes van je kun je wel even wegpolijsten. Als die eerste verliefdheid voorbij is, komt een stadium van verdieping, waarbij, omdat je elkaar beter leren kennen, mooie dingen naar boven komen, maar ook mindere kanten. Hier start de entropie van de relatie en dus weten we ook dat we energie in het systeem moeten steken. Die energie moet gericht zijn op het creëren van een positieve associatie. Een gezonde, evenwichtige relatie is immers niet gebaseerd op dwang. Dat betekent dat je de ander niet kunt dwingen om van je te houden, noch om bij je te blijven. Even een kleine

Hoe vaak zien we niet dat mensen uit gemakzucht of financiële redenen bij elkaar blijven?

kanttekening: dat dit dwingen in een relatie niet ideaal is, betekent niet dat het niet gebeurt. Hoe vaak zien we niet dat mensen uit gemakzucht of financiële redenen bij elkaar blijven? Je kunt je echter afvragen in hoeverre er dan nog sprake is van een liefdesrelatie. Je hebt dan meer een zakelijke overeenkomst die gebaseerd is op het ruilen van diensten en gunsten. Noem me naïef, maar ik koester toch nog steeds het ideaal dat een echte liefdesrelatie het meest vervullend is en mijn ervaring bevestigt dat. Als je vervolgens beseft dat je de ander op geen enkele manier kunt dwingen, dan is de ontnuchterende vaststelling dat je je liefdeslot niet in eigen handen hebt. Je komt dan automatisch in een situatie terecht die je oncomfortabel kan lijken omdat je de controle verliest. Hoe vervelend is dat in een wereld waarin je gewend bent dat ambitie, plannen en actie vaak leiden tot resultaat? Hoe meer je dat gewend bent, hoe weerlozer je je voelt in de liefde. En toch is er hoop, want door te werken aan de positieve associatie heb je in ieder geval alles gedaan wat wel binnen je vermogen ligt.

Hoe doen we dat dan: het opwekken van een positieve associatie? Eerst even iets over de kracht van associatie. Associatie is de milde vorm van conditionering. We gebruiken het woord associatie liever dan conditionering omdat dit laatste een connotatie heeft van een bewust manipulatief doel, met name het totaal uitschakelen van de vrije wil. Zo ver willen we niet gaan omdat dit toch wel voorbijgaat aan de romantiek en de vrijwilligheid van een relatie.

Toch even beginnen met de basis: conditionering. De vader van de conditionering is de Russische Nobelprijswinnaar Ivan Pavlov (1849-1936) die als eerste documenteerde dat honden niet alleen beginnen te kwijlen als ze eten verwachten, maar ook als je een bel laat klinken op voorwaarde dat je in het verleden het luiden van de bel telkens hebt laten volgen door eten. Die kwijlreactie heeft dus ook plaats als de bel weerklinkt zonder dat er eten volgt.

Al is het dan niet de bedoeling dat we onze partner gaan conditioneren, het proces speelt zich sowieso af en het is maar best om er rekening mee te houden. Kijk eens naar je huidige relatie: wat doe je nu om positieve associaties op te wekken en wat doet je partner? Laten we het voorbeeld dat we eerder al even aanhaalden verder uitwerken. Stel je voor dat je man een leuk avondje uit is geweest met vrienden. Maar jij vindt dat hij veel te laat thuis is gekomen en je geeft hem op zijn donder. Probeer dan eens van op een afstand te kijken wat dit doet. Natuurlijk had hij jou iets kunnen laten weten en natuurlijk had je misschien wel (voor jou) leukere plannen in gedachten, maar objectief gebeurt het volgende. Je partner heeft een positieve associatie met het avondje met zijn vrienden en een negatieve met jou. Is dat wat je wilt? Misschien bereik je dat hij inderdaad zijn avonden met vrienden beperkt, uit angst je te kwetsen of je kwijt te geraken. Maar wees er maar zeker van dat je een wonde hebt geslagen.

Er zijn zoveel situaties denkbaar waarin dit van toepassing is. Ben je bijvoorbeeld wel eens humeurig of heb je last van woede-aanvallen? Dan is het toch niet verwonderlijk dat je partner zich op den duur comfortabeler begint te voelen zonder jou dan wanneer je er wel bent? Dat lijkt me de garantie voor het aansturen op een ruilverbond in plaats van een lief-desrelatie. Je krijgt een situatie waarin je partner in de stress schiet van zodra jij eraan komt. Zelfs al is daar geen concrete aanleiding toe, de angst wordt groter dan het gebeuren zelf en dat opnieuw zorgt voor een negatieve associatie. Als jullie samen die vicieuze cirkel niet doorbreken, dan komt het niet goed.

Dat betekent overigens niet dat je zomaar alles moet slikken wat je partner doet of zegt. Ten eerste kan je partner er ook maar beter voor zorgen dat je een positieve associatie bij hem of haar krijgt. Als de ander op dat vlak steken laat vallen, geeft dat jou natuurlijk nog niet het recht om bijvoorbeeld het vertrouwen van je partner te beschamen, maar het vergroot wel de kans dat jij alternatieven voor je relatie gaat zoeken of er meer open voor staat. Dat geldt natuurlijk in twee richtingen en als je dat in het oog houdt, ben je al voorbij halfweg in het onderhouden en opbouwen van een fantastische relatie.

Ten tweede heb jij ook je grenzen. Die kun je aangeven zonder de ander aan te vallen. Doe dit liefst op het moment dat er geen conflict dreigt. Spreek altijd in termen van oplossingen en probeer een leuker alternatief te bieden.

Als voor het overige heel aimabele, degelijke en rustige mensen vreemd gaan, heeft dat meestal te maken met dit fenomeen. Op het moment dat de associatie met een ander beduidend beter is dan met de eigen partner, als men dingen opnieuw ontdekt bij zichzelf en de ander. Als er een beter gevoel ontstaat als men bij iemand anders dan bij jou, dan houden alleen traditie en angst voor het onbekende je partner nog bij je. Is dat wat je wilt? Ga je daarop zitten wachten of neem je nu nog actie om een positieve associatie te kweken? Bel je partner op om te zeggen dat je van hem of haar houdt, organiseer vanavond nog een leuke activiteit.

Misschien is het een vreemd onderwerp om hier aan te snijden, maar het illustreert wel ons punt. Prostitutie is van alle tijden en er wordt niet alleen gebruik van gemaakt door zielige, onaantrekkelijke mannetjes die nog bij hun moeder wonen. Vrouwen onderschatten vaak de aantrekkingskracht van de prostituee omdat ze denken aan het liefdeloze aspect van de daad, aan het puur bevredigen van lusten bij iemand die dat meermaals per dag met onbekenden doet. Je zou het ook kunnen omdraaien. Wat drijft (meestal) mannen zo ver dat ze voor seks willen betalen bij iemand die het met iedereen doet die maar genoeg geld ophoest? Die vraag doet je er op een andere manier naar kijken. De reden is dat het principe van prostitutie helder en eenvoudig is. De klant betaalt geld en krijgt daar seks voor in de plaats. Als

Niet verwonderlijk dat sommige partners na verloop van tijd al helemaal niet meer seks aan beginnen.

je daar tegenover zet hoe in vele gevallen seks tot stand komt binnen een relatie, dan is dat vaak bijzonder complex. Je moet in de stemming zijn, je mag niet te moe zijn, er mag geen spanning zijn, enzovoort. Bovendien loop je voortdurend het risico afgewezen te worden, wat het geheel niet ten goede komt. Niet verwonderlijk dat sommige partners na verloop van tijd al helemaal niet meer seks aan beginnen.

Kijk nu eens even heel kritisch naar je eigen relatie, de huidige of enkele uit het verleden. Hoe ga of ging jij om met intimiteit en seksualiteit in jullie relatie? Ik zeg niet dat je je partner naar de hoeren drijft of naar een ander en ik zeg ook niet dat de seks gratuit, oppervlakkig en dierlijk moet zijn, maar ... maak het niet altijd te moeilijk. Die les kunnen we leren uit het succes van prostitutie.

Overigens is het niet omdat dit soort inzinkingen in een relatie zonder kinderen ontstaat, dat het niet gebeurt bij relaties met kinderen. Misschien wel integendeel omdat er net minder aandacht voor elkaar is en nog minder tijd voor zichzelf. Huilende en vervelende

kinderen kunnen ook heel makkelijk en snel geassoci-
eerd worden met de partner die mee aan de basis ligt
van de situatie. Je zult dan ook begrijpen waarom dit
nog sneller voorvalt bij samengestelde gezinnen. De
ene partner is niet de ouder van de kinderen en als
deze vervelend zijn of een belemmering voor een
gezellige avond of een aangenaam moment, dan is de
negatieve associatie van de situatie met de persoon
heel snel gemaakt.

Bovendien zijn in een relatie met kinderen de
gevolgen van een breuk veel groter.

Wat moet je dan doen?

Enkele concrete adviezen, hoe naïef ze soms ook
lijken:

- Glimlach telkens je elkaar ziet. Ook al ben je triest
  of humeurig, ook al ben je geconcentreerd en stoort
  de ander je eigenlijk. Je krijgt dan onmiddellijk een
  positief gevoelen bij elkaar en telkens opnieuw een
  prachtige eerste indruk van het contact. Daarna
  kun je nog perfect uitleggen wat er aan de hand is
  als dat het geval is.

- Denk even na bij alles wat je doet of zegt. Als iets je
  niet bevalt aan het gedrag van je partner, neem je
  dan onmiddellijk actie of maak je het later op een
  minder emotioneel moment bespreekbaar? Probeer dat correct in te schatten, met een sterke
  voorkeur voor de laatste optie.

- Zorg voor geborgenheid, maar ga er nooit van uit dat je relatie verworven is.
- Je hebt niet het monopolie op de leuke momenten van je partner. Zorg voor afwisseling, laat ruimte en zorg ervoor dat jullie tijd samen altijd bijzonder is.
- Toon je liefde wanneer je het ook maar kunt.
- Verras de ander op positieve wijze.
- Zorg voor reliëf in je relatie en ban de sleur.

Toevoeging of last

De mens zoekt steeds naar datgene wat hem het comfortabelste lijkt. Voortdurend maken we een afweging van onze opties. Wat ervaren wij als het ideale voor onszelf? Hoe willen wij ons leven indelen? Dat betekent daarom nog niet dat we er ook onmiddellijk naar handelen.

In de eerste plaats is er bijvoorbeeld het conflict tussen de korte en de lange termijn. Het is eigen aan de mens dat hij vooruit kan plannen en kan weerstaan aan instante behoeftebevrediging ten voordele van langetermijn profijt. We kunnen dat niet altijd even goed, want anders zou niemand roken en iedereen gezond eten. Maar we zijn er ook niet slecht in. Daarom sparen en investeren we.

Het is niet anders in een relatie. Ook daar moet je een afweging maken tussen snelle behoeftebevrediging en langetermijn voldoening. Dat geldt zowel voor de keuze van je partner als voor alle verleidingen die je tussentijds tegenkomt. Die afweging kan overigens niemand voor jou maken. Je zult dat persoonlijk moeten ervaren en geval per geval beoordelen. Als je daar op die manier bewust mee omgaat, vermijd je dat je je instincten achternaloopt. Nu, als dit laatste voor je werkt, is het wat mij betreft prima, alleen zul je een behoorlijk arsenaal aan flexibiliteit, incasseringsvermogen, charme en excuses nodig hebben om de turbulenties die dit met zich meebrengt, te doorstaan.

In de tweede plaats kan het zijn dat ons waardenstelsel ontregeld is. Door indoctrinatie (vaak van de partner of de omgeving), een gebrek aan inschattingsvermogen van de mogelijkheden die het leven biedt, een zwak zelfbeeld of zelfs geweld kan het gebeuren dat er helemaal geen flexibiliteit is in de relatie. Je zit dan gevangen in de situatie zoals die is en waar je niet in staat bent de opties in het juiste perspectief af te wegen. Dit is een uitermate ongezonde situatie waarbij eerst de basis moet worden opgelost voor je tot een normale situatie komt waarin de vrije wil opnieuw kan spelen.

Overigens is de grens tussen een gezonde en een ongezonde relatie niet zo strikt te trekken. Het bovenstaande speelt vaak in min of meerdere mate. Misschien is ze alleen in een volledig vrije relatie niet van toepassing, maar dan kun je je afvragen of er nog sprake is van een echte relatie.

Maar goed, ondanks de zekere remming die er bestaat om snel relaties te verbreken, gaat het erom dat je niet gaat gokken met je relatie, dat je het niet op zijn beloop laat en gaat rekenen op die remming. Het gezegde dat je aan een relatie moet werken, is waar, dat lees je doorheen dit boek. Alleen door energie te steken in iets wat je hebt of opbouwt, kun je het in stand houden. Verbetering vergt nog meer aandacht en inspanning.

Zorg er steeds voor dat je een toevoeging bent aan het leven van de ander.

Van dit boek mag je echter ook verwachten dat het je aangeeft op welke manier je het best die inspanning levert. Daar voldoen we graag aan. Waar het in essentie op neerkomt is: zorg er steeds voor dat je een toevoeging bent aan het leven van de ander. Een relatie met een ander dan jijzelf heeft voor je partner altijd onbekende factoren die zorgen voor onzekerheid. Dat speelt in je voordeel. Natuurlijk lijkt af en toe het bij een ander beter, maar hoe zal het werkelijk zijn? Misschien snurkt de ander wel heftig of heeft hij of zij afschuwelijke gewoontes, enzovoort.

Aan de andere kant is het toch onmogelijk voor jou om te concurreren met de hele wereld. Het spreekt voor zich dat er ergens ter wereld altijd wel een beter geschikte partner zal zijn dan jij. Maar is dat een reden om het op te geven of jaloers te zitten bibberen uit angst je partner te verliezen aan 'een betere partij'? In het algemeen zorgt angst nooit voor een verrijking van je leven en jaloezie is geen verrijking van je relatie. Dat betekent dat je maar een optie hebt: je moet de beste partner zijn die jij kunt zijn binnen de relatie zoals jij die wenst te hebben. Als je best dan niet goed genoeg blijkt te zijn, dan was de relatie niet voor jou bestemd.

Zelfs nu je weet dat je niet met de rest van de wereld hoeft te concurreren, heb je nog steeds een ijkpunt waar je rekening mee moet houden. Het leven in een relatie moet beter zijn dan dat alleen, zowel voor jezelf als voor de ander. Dat moet de motivatie vormen om wat van je relatie te maken. Als de ander jou niets bijdraagt en andersom, heeft je relatie geen enkele zin. Waar die bijdrage uit bestaat, verschilt voor iedereen individueel. Daar kunnen we gelukkig geen advies over geven, want dan zou er een ideale man/vrouw bestaan. We hebben allemaal verschillende wensen en verwachtingen en dat maakt de zoektocht naar de juiste partner individueel en ongemeen spannend. Dat is net het mooie aan het mens-zijn.

Ga ik daarmee voorbij aan het emotionele van ver-liefdheid, van de liefde? In geen geval, een relatie is of zou niet functioneel mogen zijn. Het zou niet tot iets moeten dienen, want dan kun je beter een huis-houdster, butler, prostituee, toyboy, spermadonor, kindermeisje of wat je ook precies nodig hebt, inhu-ren voor de betreffende dienst. Een relatie is net gebaseerd op dat méér, die liefde die je voor elkaar ervaart, het gevoel dat je bij niemand liever bent dan de ander, dat je van de ander houdt ondanks de min-dere punten. Net daarom zou je die liefde niet op de proef mogen stellen door er verder onvoldoende moeite voor te doen.

Die toegevoegde waarde aan het leven van de ander, kun je soms ook bereiken door afwezig te zijn. Iedereen is wel eens graag alleen. Gun de ander de ruimte om dat gevoel van vrijheid en lekker je eigen dingetjes doen te beleven. Het samenzijn zal des te meer diepte krijgen.

Dat je waarde moet toevoegen aan het leven van de ander, betekent daarom nog niet dat de ander jouw leven prettig met maken. Voor dat basisgege-ven ben je zelf verantwoordelijk. De ander kan er mis-schien iets aan toevoegen, maar je kunt de last ervan niet bij de ander leggen. Hou je leven in je eigen hand en als je dat niet kunt, sleur dan een ander niet mee in je ellende.

Als je relaties op elkaar gaan lijken

Elke relatie kent een natuurlijk verloop waarin stadia voorkomen die totaal van elkaar verschillen. De verliefdheid en onzekerheid van het begin maken plaats voor elementen als een verdiepte liefde, vertrouwdheid, comfort, verrassingen, ontwikkeling of misschien ook verveling en ergernis. Het is normaal dat niet elke dag het vuur hevig opflakkert, dat je niet meteen de ware vindt of dat na verloop van tijd sleet komt op je relatie of jullie uit elkaar groeien. Maar wat doe je als je merkt dat je opeenvolgende relaties allemaal hetzelfde patroon volgen? Dan kom je in een bijzonder interessante situatie.

Of kan het zijn dat de mens niet geschapen is voor een monogaam bestaan?

Want waarom gaan al je relaties op den duur op elkaar lijken? Is dat omdat alle mannen/vrouwen hetzelfde zijn? Is het misschien omdat echte liefde niet bestaat? Of kan het zijn dat de mens niet geschapen is voor een monogaam bestaan?

Die laatste vraag wordt vaak aangewend als excuus om ontrouw te verantwoorden. Maar misschien is dat helemaal niet de juiste vraag. Is het omdat we allemaal sterfelijk zijn, dat we niet hoeven te leven? Zo kun je je evengoed afvragen of je niet moet proberen het beste te maken van je relatie, los van de vraag of de mens van nature uit monogaam is. Misschien is daarom de juiste vraag wel: haal ik voldoende uit mijn relatie? Beantwoordt die relatie aan wat ik verwacht? En wat zoek en krijg ik dan in een eventueel nieuwe partnerschap?

Iedereen die zich die vragen zou stellen, bedenkt zich wel twee maal voordat hij of zij vreemd zou gaan. Meer nog, het zou al een geweldige verbetering zijn als iedereen zich die vraag zou stellen bij het aangaan van zelfs de eerste relatie. Want zeg nu eerlijk: wie denkt in zijn jeugd al aan hoe hij zijn leven in wil richten? Weinig relaties zijn gebaseerd op wat men echt zoekt in een partner. In ieder geval heel wat minder dan die gebaseerd op lust en verlangen of zelfs gewoon gelegenheid. Of nog louter op het gevoel geliefd te worden door iemand. En laten we ook niet vergeten mensen die relaties aangaan, louter en alleen vanuit de angst om alleen te blijven.

Het lijkt voor zich te spreken dat al die redenen niet de meest solide basis voor een leuke relatie vormen, hoewel ze natuurlijk geluk niet uitsluiten. Dat zien we allemaal in als we zo rustig dit boekje zitten te lezen. Maar vraag nu eens aan je partner waarom die bij je is, waarom die bij je blijft en, voor de lol, waarom die naar je toe is gekomen, die eerste keer? Hopelijk kun je om het antwoord op die laatste vraag lachen als de ander eerlijk is en het antwoord nu niet direct het meest romantische is. Maar die twee andere vragen leggen misschien wel de basis voor je verder geluk.

Maar goed, in dit hoofdstuk staat de vraag centraal waarom opeenvolgende relaties op elkaar kunnen gaan lijken. Herken je dat? Ken je de indruk dat al je relaties wel bijzonder beginnen, maar dat er na verloop van tijd een patroon insluipt waarbij je nog nauwelijks een onderscheid kunt maken in de houding en het gedrag van je huidige partner en de vorige?

Het antwoord is heel eenvoudig: relaties gaan op elkaar lijken omdat jij dezelfde bent gebleven en hetzelfde gedrag bent gaan vertonen tegenover je nieuwe partner. We komen daarmee bij het moeilijkste aspect van het leven en relaties. Relaties gaan er immers om dat je elkaar respecteert om wie je bent. Maar wie je bent, is geen statisch gegeven. Laten we voor het gemak even veronderstellen dat je goeddeels tijdens je leven niet van persoonlijkheid verandert. Dan nog zul je eerlijk moeten toegeven dat je, in relatie tot je partner, je wel anders gaat gedragen. Ik heb het dan niet over de occasionele slechte bui of de minderen dag, maar gewoon in het algemeen, van dag tot dag, van jaar tot jaar. Is het niet verwonderlijk dat je partner diegene was voor wie je je uiterste best deed om er netjes uit te zien, lekker te ruiken, mooi gekleed te zijn. Na verloop van tijd 'voelen we ons het meest comfortabel' bij die persoon en dat is dan geleidelijk aan een reden om net het tegenovergestelde te gaan doen. Je laat je verslonzen, loopt in je meest comfortabele, maar daardoor ook onelegante kleren.

Je geraakt ook gewend aan de ander en begint je misschien te storen aan dingen die je aanvankelijk door je verliefdheid over het hoofd of door de vingers zag. Intussen krijg je ook meer andere levenservaringen en doe je nieuwe ideeën op. Voor je partner geldt niet anders. En die ervaringen en ideeën lopen niet noodzakelijk parallel aan elkaar.

Dus zelfs al zou je in wezen dezelfde persoon blijven, dan nog is het niet vanzelfsprekend dat je relatie dezelfde blijft. En hier komt de verrassing: je blijft niet dezelfde persoon, maar je partner blijft dat ook niet. Volwassen en ouder worden brengt niet alleen fysiologische, maar ook psychologische veranderingen met zich mee die dieper gaan dan de verwerking van ervaringen. Sommige mensen geraken ontgoocheld door tegenslagen en misschien zelfs verbitterd, anderen leren het leven te omhelzen en bekijken elke verandering positief. De grillen van het lot en de natuur zijn niet rechtvaardig en stellen ons steeds opnieuw voor uitdagingen. Ook onze partner is daar niet immuun voor en net zoals elk mens moet hij of zij proberen om te gaan met wat het leven werkelijk inhoudt. Sommigen proberen er het maximale uit te halen op lange termijn, terwijl anderen de dag willen plukken. Nog anderen zullen al blij zijn dat ze de dag ongeschonden doorkomen of denken niet eens na over de mogelijkheden die elke ochtend weer biedt. Onze levensloop en de manier waarop we op ervaringen reageren hebben hier een grote invloed op.

Het gevolg is dat we door alle veranderingen heen toch voortdurend terugvallen in bepaalde patronen, waarvan we denken dat ze normaal zijn en die het best bij ons passen. Als die patronen evolueren in de loop van de relatie, dan is het ook niet verwonderlijk dat de relatie zich daaraan aanpast. Als dus je opeenvolgende relaties op elkaar beginnen lijken en als je dat niet bevalt, dan is er niets mis met de mensheid, de mens of het andere geslacht, dan is er iets mis met hoe jij met een relatie omgaat. Dat is een harde conclusie want het ligt niet aan die ander, het ligt aan jou en dat is wel het laatste wat we willen horen.

Maar het is ook de prettigste boodschap die ik je kan meegeven, want dat betekent dat je je lot in eigen handen hebt, dat je er iets aan kunt doen. Misschien beginnend met je huidige relatie en als dat niet meer lukt of als je er geen hebt, dan wel voor de volgende.

Toch even plaats maken voor de nuance. Dat je naar jezelf moet kijken, betekent niet dat er geen klootzakken of horken bestaan die je liefde niet waard zijn. Natuurlijk lopen die er ook rond en dan moet je heel snel je conclusie trekken, maar dan komen we toch weer bij jezelf uit. Want moet je dan niet gaan kijken of je wel je partner op de juiste manier selecteert? Richt je je wel voldoende op je langetermijngeluk? Weet je goed genoeg wat je werkelijk wilt van een partner?

Je relatie is echter maar één factor en de sleutel tot geluk ligt in het zelf in handen houden van je persoonlijke groei.

Werken aan je relatie is werken aan jezelf

Jij bent je relatie niet, maar de relatie met je partner maakt een wezenlijk onderdeel uit van je ontwikkelingsproces. Je relatie is echter maar één factor en de sleutel tot geluk ligt in het zelf in handen houden van je persoonlijke groei. Een partner die je daarin steunt is een eis die je aan een relatie kunt stellen. Maar hoe kan je partner je steunen als je zelf niet weet waar je naartoe wilt? Ik zou de mensen de kost niet willen geven die doelloos door het leven struikelen.

Het bijzondere is dat een onbekommerd fladderen van dag tot dag het recept lijkt voor geluk, maar onderzoek na onderzoek toont aan dat dit op middellange termijn niet het geval is. Mensen die zichzelf doelen stellen, uitdagingen aangaan en zich bewust zijn van hun sterfelijkheid ervaren meer geluk dan mensen die dat niet doen.

Je hebt geen kinderen (meer) en daardoor ben je je bewuster van jezelf. Je kunt je niet verschuilen achter je kinderen en de realisatie van hun doelen, achter de uitdaging om je nageslacht tot volwassenheid te leiden. Je hebt je sterfelijkheid niet gecamoufleerd met het doorgeven van je DNA.

Als je zelf geen doelen stelt in het leven, is het niet verwonderlijk dat het leven doelloos lijkt. Door doelen te stellen krijg je grip op je leven. Als je jezelf doelen stelt, ook op het gebied van je relaties, wordt je positief gemotiveerd.

Motivatie

Het woord motivatie komt van het Latijn movere, wat bewegen betekent. Motivatie is dus datgene wat jou in beweging zet. Er zijn twee soorten motivatie. Positieve motivatie en negatieve. Positieve motivatie betekent dat we ergens naartoe bewegen. We hebben een doel en we leveren de inspanning die ons dichter bij het doel brengt.

Negatieve motivatie is wat ons verwijdert van iets. Je zit in een situatie die je niet wenst en daar wil je uit weg komen. Als je geen welomlijnd doel hebt - en dat is het geval bij de meeste mensen - dan krijg je voornamelijk te maken met deze tweede vorm van motivatie. Op die manier ben je permanent bezig met het ontvluchten van ongewenste situaties. Je weet heel goed wat je niet wil, tenminste van zodra je erin belandt. Je doet echter bijzonder weinig om dat te voorkomen. Je bent met andere woorden voortdurend bezig met brandjes blussen, probleempjes en problemen oplossen om op de nullijn te komen. Je staat stil in je persoonlijke ontwikkeling omdat het enige wat je leert is uit situaties te komen die je niet wenst. Je comfortcirkel blijft zo veel mogelijk dezelfde.

Het maakt voor je visie op verleden, heden en toekomst erg veel uit of je een positieve motivatie hebt of dat negatieve motivatie je drijft, of je al dan niet een doel hebt. Als je geen doel hebt, dan is je uitgangspositie het belangrijkst, de situatie waarin je zit. Je zult alles doen om uit de ongewenste toestand te geraken. Waar je naartoe gaat, maakt niet uit, als het maar ergens anders is. Dat ergens anders is waarschijnlijk niet de best mogelijke plek, maar dat maakt je niet uit. Van zodra je buiten de pijnzone bent, is het o.k. en sta je stil. Omdat je er op dat moment echter

maar net buiten bent, is de kans groot dat het probleem je weer snel inhaalt of dat je het zaad voor een
nieuwe ongewenste situatie hebt gezaaid.

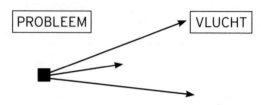

Bij positieve motivatie krijg je het omgekeerde effect:
het maakt dan niet uit van waar je vertrekt, wat je uitgangspunt is, wat je al wel of niet hebt gedaan in het
leven, wat je overkomen is. Je weet immers waar je
naartoe wilt en dat is het belangrijkste. Dat geeft richting aan je leven. Je kunt je inspanningen veel beter
richten op het bereiken van je doel. Bij alles wat je
onderneemt kun je aftoetsen of het je nu wel of niet
dichter bij je doel brengt. Het enige verschil tussen de
diverse uitgangspunten is dat de weg naar je doel heel
anders zal zijn. Iedereen heeft immers andere talenten,
ervaringen en een verschillende sociale achtergrond.

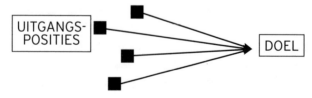

Wie vult je leven in?

Jij hebt de keuze tussen deze twee vormen van motivatie, maar als je er niet bewust mee bezig bent, dan verval je automatisch in de negatieve motivatie. Dat betekent ook dat je een stuk macht over je leven en dus ook de macht over hoe je je relatie wenst, uit handen geeft. Op de situaties die de negatieve motivatie doen ontstaan, heb je immers geen invloed, ze overkomen je. Je wacht erop. Als je doelen hebt, zullen er ook situaties zijn die je overkomen, maar je weet tenminste in welke richting je ontsnapping behoort te zijn. Je negatieve motivatie valt dan samen met je positieve: ook de negatieve motivatie die je dan nodig hebt (je wil ergens vandaan) krijgt richting. Misschien is dat niet de makkelijkste weg uit de ongewenste situatie, maar in ieder geval een constructieve. De kans dat je er iets uit leert is ook vele malen groter omdat je de gebeurtenis kunt plaatsen in een groter geheel van je acties en wensen.

Als je geen doelen hebt, dan loop je veel meer het risico dat andere mensen je gaan inschakelen in het bereiken van hun doelen. Je leven lijkt dan een doel te hebben, maar het is niet het jouwe. Sekten gebruiken dit veelvuldig. Ze nemen je eigen doel weg -voor zover er dat al is- en geven je er een in de plaats. Het is bijzonder gemakkelijk om mensen die zelf geen doel hebben een extern, hoger doel voor te spiegelen.

Het verleidelijke hieraan is dat je zelf niet hoeft na te denken of te beslissen en dat is best comfortabel. Je leven wordt echter ingevuld door anderen.

Nu hoeft het helemaal niet zo extreem te gebeuren als het gaat om het ingevuld worden van je leven door anderen. Hoeveel mensen laten hun leven niet bepalen door hun kinderen, hun partner, hun ouders, hun vrienden, hun buurt enzovoort? Als je zelf geen verwachtingen hebt van je relatie, ben je een gemakkelijke speelbal.

Heb je al eens in kaart gebracht in welke mate jij je leven zelf invult en in hoeverre dit gebeurt door anderen?

Opschrijven

De beste manier om je doelen duidelijk te hebben is ze op te schrijven. De meeste mensen denken dat ze wel doelen hebben en dat ze die goed kennen. Daarom doen ze niet de moeite om ze op te schrijven. Dit werkt niet, gewoon niet, omdat de mens de neiging heeft zichzelf te bedriegen. Het niet vastleggen van je doelen is hetzelfde als een pijl afschieten en er daarna de roos rond tekenen. Je praat achteraf goed wat je hebt gedaan en het is onmogelijk vast te stellen of je nu werkelijk hebt bereikt wat je wou. En als je jezelf wijsmaakt dat jij jezelf niet bedriegt, dan ben je voorbij elke hulp. Het is gewoon eigen aan de mens om zijn geschiedenis te herschrijven in functie wat het comfortabelst is, wat het best past zodat er niets veranderd hoeft te worden.

Mensen zijn bang om hun doelen vast te leggen. Dat is een begrijpelijke reactie die voornamelijk te maken heeft met faalangst. Vreemd genoeg worden mensen niet graag geconfronteerd met wat ze willen. Het lijkt wel dat mensen door het vastleggen van hun doelen de indruk hebben dat ze verplichtingen voor

Mensen zijn bang om hun doelen vast te leggen.

zichzelf scheppen. Natuurlijk is dat ook zo, en liever blijven ze dan op de vlakte zodat ze nog alle kanten uit kunnen. Het is proefondervindelijk aangetoond dat zo'n vrijblijvende houding minder goed werkt om persoonlijke groei te bereiken. Er gaat immers teveel energie verloren aan zaken die achteraf niet belangrijk bleken te zijn. Dat is oorzaak van midlifecrises. Het besef dat er al zoveel tijd is voorbijgegaan zonder dat men aan het wezenlijke is toegekomen. In een relatie komt dan het besef dat de huidige niet gegeven heeft wat mogelijk was en dat het ook niet meer zal verbeteren.

Angst is bij het opstellen en nastreven van doelen niet nodig, want het is helemaal niet erg om te falen.

Meer mensen hebben moeite met het feit dat ze nooit geprobeerd hebben. Het schriftelijk stellen van doelen is de eerste stap om echt te gaan voor wat je wilt. En als er geen lichte siddering van twijfel en opwinding door je lichaam heen gaat als je je doel neerschrijft, dan is je doel waarschijnlijk niet ambitieus genoeg. Aan de andere kant moeten we realistisch zijn in het schetsen van onze gewenste partner. Zo moet je niet te concreet zijn. Kijk naar wat echt belangrijk voor je is en dat is zelden, blond haar en blauwe ogen en een licht buitenlands accent. Kijk naar diepere waarden.

Je zult verbaasd zijn over hoe makkelijk dingen soms te bereiken zijn als je ze maar helder formuleert.

Ben je al in een relatie, deel dan je wensen met je partner. Niet om die te veranderen, maar wel om je wensen uit te spreken.

Dat formuleren van je doelen hoeft echter niet altijd iets groots te zijn, het kan ook gewoon zijn dat je bijvoorbeeld meer vrije tijd zou willen. Ook dat kan een wens zijn waar je een doel van kunt maken. Je zult verbaasd zijn over hoe makkelijk dingen soms te bereiken zijn als je ze maar helder formuleert. Een wens is immers niets anders dan een doel zonder plan. Om een wens werkelijkheid te maken, heb je dus een plan nodig. Vaak volstaat dat al op zich.

Een vrijgezel van 35 met een verleden van rampzalige dates en dramatisch korte verhoudingen, herwon zijn zelfvertrouwen omdat hij goed formuleerde wat hij kon beiden in een relatie en wat hij zelf verwachtte. Hij ging een stuk minder daten, maar al snel had hij de ware gevonden.

Natuurlijk staat het iedereen vrij om zijn leven te leven zoals hij wil, ik kan alleen maar adviseren om doelen vast te leggen in het bewerkstelligen van je groei. Is dat te beangstigend, dan kan je gewoon doelloos het leven nemen zoals het is. Alleen moet je daar dan ook de consequenties van aanvaarden. Je kunt niet meer in de tijd terugkeren en het allemaal opnieuw doen. Je kunt altijd van partner wisselen, maar het gaat vaak ten koste van emotionele schade.

Als je wel doelen vastlegt, kun je er ervaring mee opdoen en als het je niet bevalt, kun je nog steeds terugkeren naar het 'nemen zoals het je overkomt'. Ik ben ervan overtuigd dat je op de momenten dat je een vage onzekerheid voelt, een onbestemdheid over je leven, je terugkeert naar het stellen van doelen. Er zijn weinig dingen die zo motiverend werken. Wie zijn doelen vastlegt en werkt aan de realisatie ervan, vindt zijn eigen positieve motivatie. Je hebt dan alweer een stap gezet in je verdere onafhankelijkheid van anderen.

Schrijf voor jezelf eens op wat je verwacht van je (toekomstige) partner en relatie.

Tot slot: een oefening

Om je relatie goed te houden, moet je dus niet alleen weten wat je zelf wil, maar ook je partner. Als je relatie belangrijk voor je is, dan zul je voortdurend moeten werken om haar fris, levendig en spannend te houden. Je moet er voor zorgen dat je partner je associeert met positieve gevoelens. Als je daar goed mee bezig bent, kun je alleen maar slagen als mens en als partner.

Test jezelf daar nu eens op. Hou bij in je agenda wat je op een week doet om dit alles te bereiken. Kom je maar tot een of twee dingetjes, dan kun je best wat meer fantasie en/of daadkracht aan de dag leggen.

Ik wens je veel geluk.

Slotbeschouwing
De risico's van het leven

*M*en zegt wel eens dat het niet goed afloopt
met trendsetters. Je ziet een nieuwe, coole
gadget in de winkel liggen en je wil absoluut
de eerste zijn, je koopt 'm, alles gaat wekenlang goed.
Tot het goed fout gaat. Dan maar een trip naar de
klantendienst, waar je verneemt dat "de eerste exem-
plaren nog niet perfect waren, onze excuses, we zullen het toestel vanzelfsprekend gratis repareren, ach
nee, de garantie is net 4 dagen geleden verlopen...

wat jammer nou... Mevrouw, ondertussen heb ik hier het allernieuwste toestel, misschien wil u – mits een kleine opleg – upgraden naar dit meesterwerk, voorzien van alle laatste snufjes..."

Overkomt u dat vaak? Mij gebeurt het wel eens. Ik ben nieuwsgierig en er staat nu eenmaal een prijs op nieuwsgierig zijn, op de eerste zijn.

In mijn vriendenkring was ik de eerste bewust en luidop koos voor een leven met een partner, zonder kinderen. Zal het met mijn leven zonder kinderen ook zo gaan als met m'n liefde voor gadgets? Zullen mijn man en ik spijt krijgen van de beslissing? Zal de maatschappij koppels zonder kinderen als zichzelf maar moeten reddende, tweederangs burgers blijven behandelen?

Misschien krijgen we spijt, dat kan. Het staat wel vast dat we nog op heel wat onbegrip zullen botsen.

Vraag is: hoe jammer is dat?

Wie risico's neemt, voelt dat hij leeft. Kleine 'risico's', zoals af en toe een romantische date met je partner. Grote 'risico's', zoals echt praten over je dromen en wensen, zodat jullie ze samen kunnen beleven en realiseren.

Als er kinderen komen, neem je de beslissing en de risico's niet voor jezelf, doch meteen voor een klein en kwetsbaar wezentje. Bij twijfel lijkt het dus aangewezen om het toch maar niet te doen.

De risico's lijken groter bij het nemen van kinderen, doch voor jezelf is het risico in het begin kleiner, want de weg ligt er al. Je hoeft geen nieuwe school te bouwen en er zijn honderden boeken over hoe het moet. Daarna hangt dat kleine wezentje tientallen jaren van jou af, op allerlei vlakken, dus je moet alles goed

Gok enkel met wat je mag verliezen. Je leeft maar een keer.

doen, of je krijgt later verwijten van je kroost, van je buren, van het schoolhoofd of – wie weet – van de media. Die risico's zijn zelfs met een supercomputer niet in te schatten. Ik kan jullie dus niet vertellen hoe je gelukkig kan worden met kinderen. Gok enkel met wat je mag verliezen. Je leeft maar een keer.

Waar ik wel over kan vertellen, is over de risico's die je ELKE dag loopt als je met je partner samen gelukkig wil worden zonder kinderen. Het 'risico' dat je een boeiend leven zal leiden als je er voor kiest om samen gelukkig te zijn zonder kinderen, is namelijk erg groot.
Elke dag kun je dan een 'foute' beslissing nemen: 'Vandaag nodigen we vrienden uit die we al lang niet gezien hebben, maar dat zou natuurlijk ook een rotavond kunnen worden. Zullen we dan maar gezellig

met z'n tweeën voor de televisie onder het deken kruipen? Aj, met een fles goede rode wijn er bij loopt dat vast uit de hand, en we hebben gisteren ook al gevreeën.'

Dat soort risico's dus...

Hoe voelt het om een trendsetter te zijn?

Goed. Uitstekend. Elke dag beter. In de voorbije tien jaar veranderde de perceptie toch al flink. Het voelt soms wat raar aan om over iets te vertellen dat perfect normaal aanvoelt, doch door een journalist, collega of wildvreemde als verrassend of vreemd begrepen wordt. Of helemaal niet begrepen wordt, omdat de gesprekspartner je dom vindt. De voorbije jaren ben ik dus vaak als 'een vreemde' bestempeld.

Echter, hoe erg is het om vreemd of dom gevonden te worden door iemand die werkelijk niet begrijpt waar het om gaat? Helemaal niet erg dus. Je leidt je eigen leven, voor het eerst heb je het gevoel dat alles kan. De ene avond volg je een cursus over 'Stijladvies en kleuren', de andere avond is het een bijscholing over de geschiedenis en cultuur van je stad. Dankzij m'n zelfstandig beroep kan ik tijdens de solden een hele week vrijaf nemen en enkel dingen voor mezelf kopen. Volgende week vertrekken we naar Venetië, zomaar, omdat de vlucht € 29,99 kost. Het hotel vinden we wel ter plaatse.

De gemakkelijkste manier om gelukkig te worden, is het niet laten afhangen van andere dingen, door zelf te werken aan je geluk en aan het geluk van je partner. Zoals Frank Wouters het omschrijft: 'Aan een relatie moet je werken, maar het zou het meest aangename werk moeten zijn dat je verricht.'

Vergelijk het met het kopen van een loterijbiljet. Als je een kind neemt, is de kans groot dat je gelukkig wordt, zeker als beide partners er 100% voor gaan. Als je geen kind neemt, ook. Voor de steeds groter wordende groep twijfelaars ligt dat anders: je koopt een loterijbiljet dat vele honderdduizenden euro's kost en de kans dat je wint is ongeveer 1 op 2. Misschien wel kleiner. Ben jij een gokker?

Wil je de kost uit deze vergelijking? Bekijk het dan praktisch. Hoe moeilijk maak je het jezelf om aan jouw eigen geluk en dat van je partner te werken als er een, twee of drie kinderen alle aandacht opeisen? En laat ons gemakkelijkheidshalve veronderstellen dat er geen enkel van die kinderen problemen heeft, lichamelijke of andere.

Onderschat het niet: het geluk dat jij en je partner kunnen en zullen voelen als jullie samen aan jullie relatie 'werken' is levensgroot, op voorwaarde dat je elke dag een klein beetje van het werk doet. Net zoals kinderen niet vanzelf slim en integer worden, zo *wordt een relatie niet vanzelf boeiend, intens en passioneel. Het volstaat niet om te beslissen dat er geen kinderen komen, in vergelijking met het werk dat op jullie wacht, was dat het gemakkelijke deel.*

Een paar hoofdstukken geleden heb ik geprobeerd het antwoord te geven op de vraag waarom ik geen kinderen wil. Na lang nadenken waren er verschillende redenen.

Degene die eigenlijk het meest uit mijn hart komt en het best aansluit bij mijn levensfilosofie is deze:

'Een appartement aan zee of een snelle sportwagen zijn leuke dingen om te hebben, maar ik kan echt wel zonder. Ik voel precies hetzelfde bij een kind. Ze zijn geweldig, leuk, grappig en lief, maar ik hoef er geen te hebben om gelukkig te zijn. En als ik echt behoefte heb aan kinderen om me heen, stap ik mijn appartementje aan het stadspark uit, wandel naar de speeltuin, ga op een bankje zitten, en kijk mijn ogen uit.'

Leef je leven, en veel geluk.